人種差別撤廃提案とパリ講和会議

廣部 泉
Hirobe Izumi

筑摩選書

人種差別撤廃提案とパリ講和会議　目次

人種差別撤廃提案とパリ講和会議

はじめに

世界を揺るがせたコロナ禍において、コロナウイルスがアジア人と結び付けて考えられたため、欧米各地においてアジアン・ヘイトといわれる、いわゆる黄色人種に対するあからさまな暴力が相次いだ。例えば、ニューヨークの地下鉄では、ただ歩いていただけの人が、アジア系の外見をしているというだけで「コロナ」と言われていきなり殴打されたり、同様にサンフランシスコで信号待ちをしていた人がいきなり拳で顔を殴られたりした。いったいいつからそのようなことが行われるようになったのだろう。一部にはコロナ禍によるものとの見方もあるが、そうではない。一九世紀半ばに中国からの移民がアメリカ合衆国（以下アメリカ）に渡った直後からアメリカではアジア系の人々に対する暴力が蔓延していたし、ヨーロッパでは一九世紀末以降、アジア系はヨーロッパの白人に災いをなすという黄禍論《こうかろん》が唱えられてきた。欧米においてアジア系が差別され迫害されることには一〇〇年以上の歴史があるのである。

そもそも、日本の近現代史は、白人列強との闘いの歴史でもあった。幕末以降、圧倒的武力差によって植民地化の危機にさらされつつ、日本はなんとかそれを回避してきた。欧米列強によって不平等な条約を結ばされ、鹿鳴館で欧米流にふるまったり、欧米流の法制度を導入したりしたものの相手にされず、欧米に匹敵する武力をもちそれを示すことによってのみ同列に扱われるということを痛感する。日清戦争で勝利したものの、三国干渉の苦渋をなめた日本は、富国強兵の道に臥薪嘗胆《がしんしょうたん》して、日露戦争で欧米列強の中でも強国と目されたロシアと同等以上の戦いをすることができることを示すことに成功する。最終的に関税自主権まで回復できたのがようやく一九一一年のことであった。その日本が世界大戦で日英同盟を理由に連合国側にたって参戦したことで戦勝国に名を連ね、その講和会議に招かれたのである。一九一九年（大正八年）のパリ講和会議、それは日本にとって初めての国際的檜舞台であった。

ただ、日本政府には不安があった。講和会議の中心となるのは英米仏などの白人列強であり、主要国で非白人国は日本のみ。不平等条約に苦しめられていた頃からまだ日は浅く、日本人がはるばるパリまで出かけて行っても相手にされず、むしろ人種を理由に除《の》け者にされるのではないか、そのような心配があったのである。実際、この時期、講和会議の主要メンバーである米国において、その西海岸で日系移民が激しい人種差別にあっていた。同じく主要国イギリスの自治領であるカナダやオーストラリアでも日系移民は差別的扱いを受けていた。人種差別が当たり前だった当時、日本政府関係者が抱いたこのような不安は根拠のないものではなかった。そこで講和会議において差別的扱いを受けないように働きかけるべきとなったのである。それがひいては、白人による人種差別が当たり前であった国際社会において、人種による差別を禁じる条項を、新しく作られる前代未聞の国際組織である国際連盟の規約に盛り込もうという動きになっていく。

結論から言うと、日本全権が持ち出した人種差別撤廃提案は、講和会議において採択されなかった。英米という大国の反対によって廃案となったのである。その事実は、当時北米で同時並行で展開していた日系移民排斥の動きと相まって、後に対米英戦争に日本が踏み切った遠因として挙げられることが多い。中でも昭和天皇が以下のように側近に語ったことは有名である。

この原因を尋ねれば、遠く第一次世界大戦后の平和条約の内容に伏在してゐる。日本の主張した人種平等案は列国の容認する処とならず、黄白の差別感は依然残存し加州移民拒否の如きは日本国民を憤慨させるに充分なものである。[1]

パリ講和会議において、日本代表は発言が少なかったことからサイレント・パートナーと揶揄《やゆ》されたりもしたが、三つの問題については積極的に関与した。それはドイツの山東省租借地と南洋諸島の処分問題、そしてここで取り上げる人種差別撤廃提案である。ただ、この人種差別撤廃提案については、様々な謎が存在する。また、提案を巡る講和会議内での動きについても、まだ解明されていない点が多い。そもそもこの提案を日本政府内において誰がどのような意図で作成したのかがはっきりしない。パリに舞台が移ったのちの交渉過程についても不明な点がある。基本的な点については日本全権団が記録を残しているし、外務省と全権団との電報のやり取りも残っている。ところが、重要な会合のなかに、それらの日本側の記録においてまったく触れられていないものが複数回存在する。英米の文書館に記録や書簡が保管されているにもかかわらず、日本側にないのである。それはなぜか。偶然記録から漏れたのだろうか。

それとも些細なこととして削除されたのだろうか。それとも意図的に記録から漏れているのだろうか。

これまで人種差別撤廃提案については大きく分けて二つの異なった見方から論じられることが多かった。日本が世界の有色人種を代表して、世界で初めて利他的に国際会議で人種平等を主張したという、ことさら日本を顕彰する見方と、そもそも山東権益欲しさに、その取引材料として人種差別撤廃提案を持ち出したという、ことさら日本を貶めるような見方である。そのいずれでもない視点から、この提案について考察し、その真実の姿を明らかにすることを試みるのが本書の狙いである。

註

（1）寺崎英成、マリコ・テラサキ・ミラー編『昭和天皇独白録：寺崎英成・御用掛日記』（文藝春秋、一九九一年）、二〇頁

第一章

誰が人種差別撤廃提案を起草したのか

日独戦役講和準備委員会

パリ講和会議に日本全権が提出した人種差別撤廃提案であるが、そもそもその提案を誰が起草したのかは明らかではない。第一次世界大戦が急に終結したため、対応を巡って二日後に臨時外交調査会が開かれた。その席で突如読み上げられた意見書が、その元となっていく。ではその意見書は、いったい誰がいつ起草したのであろうか。

第一次世界大戦の講和会議に向けて日本の準備不足が指摘されることがあるが、準備していなかったわけではない。開戦当初の大正三年（一九一四年）一〇月には、加藤高明外相は長岡春一《ながおかはるかず》に講和関係の資料の調査を命じている。翌大正四年（一九一五年）にはベルギーから帰国した木《き》村鋭市《むらえいいち》がこの作業に加わっている。この資料に基づいて、同年九月に外務省内に日独戦役講和準備委員会が発足した。委員長には松井慶四郎外務次官が就き、坂田重次郎《さかたじゅうじろう》通商局長、小池張造《こいけちょうぞう》政務局長ほか、田中都吉《たなかときち》、松田道一《まつだみちかず》、長岡春一、小村欣一《こむらきんいち》、木村鋭市が外務省から参加した。これに法制局、陸軍省、海軍省からと、国際法学者の立作太郎《たちさくたろう》博士が加わった。第一回委員会は一〇月一八日に松井委員長の下、外務省で開催されたが、松井の駐仏大使拝命に伴い、一二月一日の第二回委員会から後任の外務次官である幣原喜重郎《しではらきじゅうろう》が委員長となり、最終回となる第三一回まで委員長を務めている。木村を含む外務省委員が多数を占め、それに法制局委員、陸海軍委員が加わるという構成は変わっていない。

同委員会は、第一回から一年余りにわたって外務省内において講和問題を討議し、大正五年

（一九一六年）一二月二五日の第三一回において最終報告を採択し解散している。議論された中身は多くがドイツの山東権益についてであった。この大戦を天祐とみた日本にとって一番の関心事は、山東方面のドイツ租借地とドイツ領有下の南洋諸島であった。大戦中に実効支配するに至っていたものの、戦後の講和会議において国際的に認められて初めてその権利は確定するとの認識をもっていたからである。ウッドロウ・ウィルソンの一四カ条が発表されるのは、大正七年（一九一八年）一月と、この報告書の一年以上後のことであり、この最終報告書には国際連盟関連の記述はもちろんなく、それに伴う人種差別撤廃に関する記述は含まれていない。

戦中も連合国は様々な会議を開催していた。連合国の軍事的形勢について話し合うとともにロシア情勢に対応するため、大正六年（一九一七年）一一月二九日からパリにおいて連合国会議が開催された。英仏伊からは首相が自ら出席し、米国からもウィルソン大統領が「もう一人の自分」とまで呼んだ最側近であるハウス大佐が参加した。日本側は、遠方ということもあり、珍田駐英大使と松井駐仏大使を出席させている。この会議で対独講和問題が話し合われる可能性もあるとみた日本政府は、二人に対して講和に対する政府の意向を次のように訓令していた。まず、日本が直接利害関係にある問題のうち、山東省のドイツ権益と赤道以北の独領諸島を確保することが強調され、日本と「直接ニ利害ヲ有セサル問題ニ関シテハ特ニ必要ナキ限リ討議ニ関与スルコトヲ避クヘシ」とされていた。これは終戦後に開催されるパリ講和会議におけるスタンスと同じと言える。ただ、この時点でもまだ人種差別撤廃提案に類するものは見られない。

ウッドロウ・ウィルソン

ウィルソンの一四カ条

一九一八年が明けるとウィルソンは、米連邦議会を前にした演説の中でいわゆる一四カ条を発表した。これは前年一一月に出されたレーニンの「平和に関する布告」に対抗する意味合いを持つものであった。「平和に関する布告」は、革命政権を樹立したレーニンが、第一次世界大戦の即時停戦を目指した停戦条件となるものであり、その中には民族自決も謳われていた。米英仏の考えと相いれない共産主義政権のこのような布告は、連合国に衝撃を与えた。連合国はさっそく対応を協議したが、対応について合意は得られなかった。

正義は自分たちの側にあることを示すためにウィルソンが発表したのが一四カ条であった。そこには、秘密外交の廃止や海洋の自由などと並んで、植民地に関する問題の決着に当たって、当事者である住民の利害が、宗主国の政府と同等の重みを持たされなければならないという内容の文言も含まれていた。また、「大国にも小国にも等しく、政治的独立と領土保全の相互保証を与えることを目的とする具体的な盟約の下に、諸国の全般的な連携が結成されなければならない」という、国際連盟という形で結実するアイディアが公の場に現れたのもこの時であった。

ウィルソンの一四カ条の登場は多くの者にとって予想外で意表を衝かれた形となった。それは日本の外務省も例外でなく、「研究して来た事項だけでは物足りないのみならず、又実際には役に立たぬ点も少なくない事態に直面」することとなった。特に国際機関の設立に関する条項については内容がよくわからないうえにいかようにも解釈できるもので、日本の外務当局を「大いに面食らわせた」のであった。当初はその国際機関をどのように呼称するかについても定まらず「国際連盟」でなく「国民総連合」や「国民同盟」、「諸民族の同盟」などという訳語が当てられたりもした(1)。

日本国内の政局にも変動があり、米騒動を受けた寺内正毅《てらうちまさたけ》内閣の総辞職を受けて、大正七年(一九一八年)九月二九日に原内閣が発足していた。原内閣はもともと第一次世界大戦の講和方針については前内閣の方針を特に変更する意図はなかった。

「活ける自由之像海を渡らんとす。」ウィルソンは正義人道をもたらすために大西洋を渡ってくるとみなされていた(『時事新報』1918年11月23日発行夕刊)

一方、欧州の戦況は夏が終わると急速に同盟国側の弱体化があらわになった。九月末にはブルガリアが休戦協定に調印し、また、一〇月にはオーストリア・ハンガリー帝国が実質的に崩壊し、トルコも休戦協定を結んだ。そしてついにドイツの代表団は一一月六日午後にベルリンを出発し、翌七日夕刻にはフランスとの境界線に到着した。翌八日にはコンピエーニュの森に置かれた列車に招き入れられ交渉が行われた。

このような事態の急速な展開に日本政府としても対応を準備する必要に迫られた。ロンドンの珍田《ちんだ》捨巳《すてみ》大使からも、一一月六日付で、ドイツが休戦協定に調印するかは不明なものの、今回休戦に応じなくともドイツ屈服の日は近く、また、日本は遠方ということもあり、全権を早急に選出して欧州に派遣して準備しておくのが望ましいのではとの電報が来ていた。外務省では、一一月七日から、内田《うちだ》康哉《こうさい》外務大臣、幣原次官、芳澤謙吉《よしざわけんきち》政務局長、武者小路《むしやのこうじ》公共《きんとも》と小村欣一の両課長によって連日会議が開かれた。

日本国内の世論では、ドイツの休戦協定調印による第一次世界大戦終結前の段階から、すでに国際連盟設立と絡めて人種平等を重視する考えがみられた。例えば、一〇月二二日付の『東京朝日新聞』では、尾崎行雄が一四カ条を検討した上で、大戦の原因の一つとして「人種上の偏見」を挙げている。また、一〇月二七日という早い段階で『大阪毎日新聞』は、日支印人が自由に自国の領土に入るのを米英仏が制限するのを止めないままであるなら、国際連盟という新しい組織を作ったとしても、それは「欧米白人の利益擁護の手段」でしかないだろうと指摘している(2)。

また、一一月三日付の『国民新聞』は、「連盟と人種的差別」と題して、日本にとって国際連盟に関連して最も重要な問題は「白人社会に於ける人種的差別観念を如何に処置するやにあり」と言い切った。そして、日本がもし国際連盟に加わるのであれば、アメリカやオーストラリアの人種差別は除去されるべきであり、米国において日系移民は帰化権がなく、州によっては差別的法律を施行しているが、米国大統領の誠意によって、国際連盟が実現する暁には、そのような米国内の差別的扱いもなくなるだろうと信じると論じている。人種平等は、米国などにおける日系移民排斥と関連付けて考えられていたのである。(3)

『国民新聞』はその四日後にも、日本政府が国際連盟に賛成なら、世界から「黄色人種迫害の一掃」を唱えなければならないと書いた。一方、若き貴族院議員の近衛《このえ》文麿《ふみまろ》も「英米本位の平和主義を排す」と題する小論を雑誌『日本及日本人』に掲載し、その中で、計画されている国際連盟を英米にとって有利な現状を固定しようとするものとし、また、英米による黄色人種差別を批判している。これも脱稿したのが一一月三日とあり、ドイツによる休戦の申し出以前に書かれたものであることがわかる。このように休戦前から来るべき講和会議と人種平等は結び付けて考えられており、そのような世論が大きな圧力となっていたことがうかがえる。(4)

一一月一三日の外交調査会

一一月一一日にドイツ代表が休戦協定に署名したとの知らせは珍田捨巳駐英大使と松井慶四郎駐仏大使からすぐさま日本政府にもたらされた。日本政府関係者を特に驚かせたのは、ドイツの休戦受諾が、ウィルソンの一四カ条を基礎としてなされたことであった。この知らせを受けて、二日後の一三日に、原敬首相のもと、急遽臨時外交調査会が開かれた。臨時外交調査会(以下、外交調査会)とは、外交を政争の具とすることを避け、外交方針の挙国一致を目指して寺内内閣時に設置された機関で、首相が総裁を務め、メンバーは、各党党首、外務、内務、陸海軍の各大臣、枢密顧問官らが務めた。パリ講和会議における日本政府の基本方針はもっぱら、ここで検討されることになる。

一二三日の外交調査会では、原首相がまず、「御聞キ及ヒノ通リ戦局ノ形勢急転直下シテ珍田松井両大使ヨリ請訓シ来リタルモノモアリ」急の開会となった旨説明することで口火を切った。外務省での会議は一二日午後に一応の終了を見ており、その成果をもって内田康哉外相は外交調査会に臨んでいた。内田大臣はまず、国際連盟への加盟問題について「「ウヰルソン」十四箇条ニ対スル意見案」を読み上げた。そこには、秘密外交の禁止や海洋の自由、経済障壁の撤廃、軍備制限などの主要項目に対する方針案が示されていた。そして、最後の国際連盟に関する意見を述べた条項に、人種差別撤廃を求めることにつながる考えが初めて示されていた(5)。

具体的には、まず国際社会はいまだに白人が支配しており、非白人を差別的に扱っているという現状認識が、「国際間ニ於ケル人種的偏見ノ猶未タ全然除去セラレサル現状」にあるというように示された。そのため人種を理由に日本が不利な状況に陥る可能性があるので、もし国際連盟が組織される場合は、加わらずに孤立するわけにもいかないので、人種偏見によって日本が不利にならないように、何らかの手段をとらなければならないとされていた。すなわち「国際連盟ノ組織セラルル場合ニ於テハ、帝国ハ結局連盟外ニ孤立スルコトヲ得サルヘキヲ以テ、本問題ニ関シ何等具体的提案ノ成立スヘキ形勢ヲ見ルニ至ラハ、前顕人種的偏見ヨリ生スルコトアルヘキ帝国ノ不利ヲ除去センカ為メ、事情ノ許ス限リ適当ナル保障ノ方法ヲ講スルニ努ムヘシ」とされていたのである。[6]

この時点では、日本が講和会議の場においてどのように扱われるかはわかっておらず、まして
や五大国の資格で参加できると自信をもって言える者はいなかった。むしろ、これまでの世界に
おける日系人差別の状況などを考慮した上で、欧米列強の中にあって、白人国でない日本が、そ
の人種のゆえにことさら不利な扱いを受ける可能性がないとはいえないとの懸念が広く持たれて
いたのである。そのような差別的扱いを防止しなければならないという考えが人種差別撤廃提案
の背景にあった。内田はこの意見案は深く研究されていない草稿で「取リ敢ヘス立案」したもの
と述べた。[7]

急な開催であり、また議題が議題であるだけに参加者は準備できていなかったのは当然であっ
た。平田東助《ひらたとうすけ》などは正直に前日に届いた資料に目を通す暇がなかったと認め、重要課題であるの
で「軽率ニ議了」してはならないとだけ述べた。一方、伊東巳代治《いとうみよじ》は、閣内委員である原や内田
に対して会の進め方について不満を述べることから始めた。内田が朗読した「十四箇条ニ対スル
意見案」に対しては、文章が委員に配られず読み上げられたのみで、はっきりと聞き取ることも
できず、そのため論評もできないと批判した。また、急に休戦がなったとはいえ、外交調査会に
諮らずに講和問題について松井大使に電訓し、事後報告で済ませたのはよくなく、夜間であって
も招集すべきであろうと論難をあびせた。[8]

講和問題について検討する時間がないと批判したにもかかわらず、伊東は一人、山東問題を中
心に専門的意見を滔々と述べた。これは伊東が外交調査会の前夜になると必ず幣原外務次官を自

宅に呼びつけ、課題について長時間にわたって説明させて、それをわがことのように述べていたからそのようなことが可能だったのである。(9)

「十四箇条ニ対スル意見案」

この日内田が読み上げた意見案は、一部修正の後、訓令としてパリの日本代表に向けて打電されることになる。特に意見案の第七項目である人種に関する部分は、この後、修正を加えられることなく政府による訓令として欧州へと打電される。すなわち人種偏見に対する懸念を含んだパリ講和会議に向けての最初の公文書ということができ、いわば、人種差別撤廃提案の元ともいうべきものである。ではこれはいつ誰によって作成されたのであろうか。

外交調査会が開催されたのと同じ一一月一三日、講和会議に対する準備として外務省内に松田道一と木村鋭市を主任とする第二次講和準備委員会が組織される。パリ講和会議で取り上げられるであろう諸問題を研究し、代表団をバックアップするのが狙いであった。大正五年末の講和準備委員会の解散とこの第二次講和準備委員会の発足の間、外務省内に講和準備のための正式な委員会等は存在していない。そのため、内田外相が一三日に急遽開催された外交調査会において読み上げた「十四カ条ニ対スル意見案」がいつ誰によって準備されたのかは外務省記録には詳らかではない。時期に関しては、ウィルソンが一月に一四カ条を発表した後、一一月一三日の外交調査会までの間に作成されたことは確かである。

誰が中心となって作成したかという点に関しても明らかではない。外交調査会で内田外相が読み上げた時の反応などから、外交調査会の閣外メンバーによって作成された可能性は低いと思われる。原首相については、一三日の外交調査会において、当日のための書類を十分検討する時間がなかったのみならず、外務省で以前から準備していた書類があったことは知っていたが、組閣以来日夜職務に忙殺され、それを実際に見て検討する暇もなかったと言い訳していることから、原首相は関わっていないと考えられる。内田外相については、九月の外相就任以来、その作成を命じていた可能性はある。ただ、この種の書類の作成の実務は課長級などに当たらせることがこの時期多く見られ、外相自身が作成に直接かかわった可能性は低い。むしろ、在米大使館勤務の経験もあり、大正四年から外務次官を務めており、排日移民問題に頭を悩ませていた幣原が、信頼できる部下に命じてまとめさせたと考えるのが自然ではないだろうか。

時期としては、一一日の休戦の知らせから一三日の外交調査会の開催までのわずかな間に作成されたと考えるよりは、件《くだん》の一一月七日からの外相、次官、政務局長、政務二課長による連日の会議によって作成されたと推測する。

この七日からの会議の主要参加者の一人である小村欣一政務局第一課長は、「講和会議ノ大勢カ日本ノ将来ニ及ホス影響及之ニ処スルノ方策」と題する文書を作成している。その中で小村は、日本がこの講和会議においてまず考慮すべきこととして、「自由均等若ハ正義ニ基ク平和保持ノ組織カ真ニ人種宗教歴史国力等ノ別ニヨラサル完全平等ノ待遇ヲ異人種異宗教国ニ於テモ享受シ得ルコトトナルヤ否ヤノ点ナリ」と書いている。これらのことから人種差別撤廃案を実際に起草する上で中心的役割を果たしたのは小村欣一であろうと推測する。これをもとに日本政府のパリ

講和会議に向けた方針は、今後進んでいくことになる重要な文書であるので、詳しく見てみたい。(10)

まず、本文書は冒頭で、日本の講和会議への対応方針変化の経緯を述べる。日本政府はまず、「山東南洋ノ処分問題」を最も重要なものとして取り組み、その他の案件に関しては「大勢ニ順応」する方針でいた。ところがウィルソンの一四カ条の発表によって、「世界ノ改造」とでもいうような事態となり、大勢順応が必ずしも安全とは言えなくなってきた。

そこで第一に懸念されたのが「異人種異宗教ナル事実ニ胚胎スル差別的偏見」であり、第二に懸念されたのが、これまで日本が採ってきた「武断侵略的政策」に対する国際的「反感」であった。そのような「偏見」と「反感」が国際社会に存在する以上、大勢順応の方針を超えて、「日本ノ面目ヲ一新スル」のでなければ、「極メテ憂慮スヘキ禍根」を残す恐れがあるとする。

そこで次の三点を懸念しなければならないとする。第一に考慮しなければならないのが、作られるであろう国際組織において、人種や宗教、歴史や国力などによらずに、「完全平等ノ待遇」を、人種や宗教の異なる国も受けられるかという点であるとする。ここで人種や宗教が異なるというのは、講和会議を主導するであろう英米仏の三大国が白人のキリスト教国であり、白人でなくキリスト教国でもない国が果たして新しい国際組織において平等に遇されるかという点がまずは危惧されていたことがわかる。すなわち、白人国でなく、キリスト教国でもない日本がどのように扱われるかという懸念が第一にあったのである。

第二に、日本がこれまで軍事力重視の侵略国としてみなされているため、世の趨勢となっている「平和主義」に対して日本が先に立って賛成しづらいことを懸念する。つまり、人種や宗教が英米仏と異なるため、人種や宗教に関係なく、「公正ナル均等待遇」を求めるべき立場にありながら、過去の「武断侵略的ノ歴史」のせいで、平等を求めた場合、他国から「人種平等ノ主張ノ下ニ」他国に対して経済的影響力を伸ばそうとしているのではないかと、その動機を疑われかねないというのである。

第三点は、中国問題であった。「勢力圏ノ撤廃」や「特殊地位ノ否認」、「秘密外交ノ廃止」などの新しい潮流のため、日本の特殊権益などの主張が容れられない可能性があることを危惧するのである。むしろ日本を抑えて、中国を「国際的ニ平等化」しようとするのが列強の流れであるとみていた。

以上の点から本文書は、パリ講和会議でどのように行動するかに、日本の「国運隆替ノ懸ル所」であるとする。まず考えるべきは中国問題で、中国と友好関係を築くことが重要であるとする。その上で、人種や宗教が異なるということで不利な立場に追いやられることのないよう、「真ノ公平ナル世界的平和及自由組織ノ樹立」に向けて努力し、国際社会における立場を安定的にするよう努めることが重要としている。もし、講和会議において日本が傍から見ているような態度をとって、ほかに道がなくなってから大勢順応するような態度に終始すれば、他の列強の疑念を招いて、国際社会において「孤立無援」の立場に追いやられることは疑いようがないと分析する。

講和会議において日本がどのような態度をとるべきかについては、過去の言い訳に終始するのではなく、世界の潮流に乗って、英米がこれからやろうとしている方向を日本が先に唱えるべきであるとしている。日本が中国に対する「武断侵略」をやめ、「文化共益」の道をとって日中友好を国策の基礎とすれば、英米も賛成せざるを得ず、また中国も国を挙げて歓迎するであろうというのである。そして最後に、具体的方策として、「治外法権ノ撤廃」、「租借地及勢力範囲ノ撤廃」、そして中国からの「我軍隊ノ撤退」の三点を挙げて具体的に論じて、この覚書を結んでいる。

駐日米国大使の警戒

パリ講和会議に向けて政府内で人種差別撤廃の文脈で検討がなされていることに敏感に反応したのは、日本との間に日系移民問題を抱える米国であった。一三日の外交調査会の内容について内田外相から説明を受けたローランド・モリス駐日米国大使は、一五日夜に発信した国務省への報告書の中で次のように報告している。

日本人は国際連盟なる組織が、黄色人種の平等を主張する機会を与えてくれると期待している……このことを念頭に、日中両国が会議において協調できるように中国との即時提携が真剣に検討されている。(11)

実際には、山東問題で利害が真っ向から対立する中国と、人種差別撤廃問題を巡って提携することが政府内で真剣に話し合われていた事実はない。ここに日本が人種平等を言うと、すぐに日中合同に考えが至るモリス大使の黄禍論的な思考法が滲み出ているといえよう。

ただ、モリスのこのような考えはまったく的外れとは言えなかった。日中合同で人種差別撤廃を求めるべきという論調も国内で見られたのである。例えば、一二月一日付の『中外商業新報』は、人種問題は、「日支両国共通の問題なるが故に、我が講和全権委員は須らく支那全権委員と提携し、講和会議に際し、之を提携し、其成功を期せざる可からず」と論じている。黒龍会《こくりゅうかい》の発行する『亜細亜時論』も社説で、講和会議への代表委員たちに望むことの一つとして、「列国をして人種的偏見を打破し、東洋人特に日支両国人に対し同等の特権を与ふるの誓約を為さしむ可し」と書き、人種差別撤廃の対象として日中両国民が念頭にあることを示した(12)。

一二月一九日の外交調査会

外交調査会は、一三日の会合があまりに急であったため、もっぱら一四カ条について議論するため一二月一九日午後に再び会合をもった。前回、資料の送付が直前であった点や重要文書が朗読されただけで現物が配布されなかったなど批判が多く出たため、十分な資料があらかじめ配布されての開催であった。原首相と内田外相の冒頭での説明を受けて、伊東巳代治が前回外相から示された一四カ条に対する外務省の提案について議論を進めることを提案し、そのように議事が進むこととなった。まず外相が「秘密外交廃止」に関する提案を朗読し、説明するところから会は始まり、「海洋の自由」へと順に進んでいった(13)。

最後に俎上に上がったのが国際連盟に関する問題であった。まず内田外相が、国際連盟に対して最終的には賛成であるが、人種的偏見が取り去られていない現状では不安が残るので、できるだけ議定を延期するように努力し、国際連盟設立が決まってしまえば、人種的偏見から生まれる不利を取り除くよう努力すべしという内容の提案を前回同様読み上げた。それに対し、伊東巳代治が一人意見を陳述した(14)。

伊東巳代治

まず伊東は、国際連盟という考えは「高遠」な理想であることは認めるものの、実現するかどうかは甚だ疑問であると述べた。そのようなものが実現するということは、加盟国はすべて平等とし、特定国の利益が万国共通の利益を害してはならず、同盟を禁止し、秘密条約も禁止するという、いわば世界を大きく変えてしまうものであり、成立するとはにわかには信じられないと述べた。ただ、唱えているのは米大統領であり、イギリスの著名な政治家にも賛同している者がおり、講和会議で議題に出てくることは間違いないとした。そして、ウィルソンの唱える平等主義が中途半端に終わって形だけが採用された機構となった場合、それは「欧米の一等国か其の現状維持を目的として二等国以下の将来の台頭発展を抑制するの政略に外ならす」と警告した(15)。

伊東の発言は、国際連盟のアイディアを冷ややかに見ており、聞いている者を身構えさせるようなものであった。ただ、伊東は最後に、自分の意見はだいたいそんな感じであるが、政府の提案には「異議を挿むの必要なしと認む」と発言を結んだ。伊東の特段異議はないものの、自分が他の者より深く洞察していると示すために発言するかのような姿勢は今後も見られることになる。ただ、見ようによっては反論を先回りして封じる発言とも見える。いずれにせよ伊東の異議なしとの発言を受けて原首相が、一四カ条に対する提案の議事は終局したとして、この日の外交調査会は終了した。この日に特段新しい考えが出されることはなく、一三日に内田が読み上げた政府案が、後にパリの全権に送られる訓令のもとになるのである。(16)

国内の反応

この間も有力紙で、この機に人種差別撤廃を実現すべきとの主張が日本国内でなされていた。ニューヨークの雑誌『ワールド』が、講和会議において日中両国が人種偏見を取り除くことを要求してくるであろうし、両国がそのような要求をなす権利を持つことを認めなければならないという記事を掲載したことを受けて、『大阪朝日』は「人種的偏見打破の好機」と題する論説を一面に掲載した。それによれば、戦争をなくすための国際機関を設立するというのであるから、世界のすべての国や民族が平等無差別にならねばならないとする。しかも、「世界の正義人道、人類の自由平等だのという旗幟を翻して」第一次世界大戦に「黄色人種をも黒色人種をも加担参戦せしめ」たにもかかわらず、「特殊人種扱ひにして、入国を拒絶したり平等の権利を与へなかつたり」するような人種偏見が行われており、それは特に米国やカナダ、オーストラリアにおいてみられていると嘆く。(17)

そして当然の結論として、「平和会議へ、提案の一主要議題として、人種的偏見による差別的待遇の打破を、極力主張」しなければならず、「何処々々までも其の主張を貫くべく、我国民将来の発展のため、否、世界永遠の平和のため、努力せん事を希望する者である」と主張している。講和会議においてパワーバランスなどの他の問題は多々あれど、人種差別問題が解決をみれば、他の問題は「連関的に容易に解決点を見出し得る」として、「人種差別撤廃問題は真に国際連盟の先決問題であつて、日本は主唱者の位置に立たねばならぬ問題」とした。[18] 連合国がインド兵などの力を借り、また日本軍の助力を得るなど非白人の力を借りておいて、戦争が終わったら差別を続けるのはおかしいというのである。

外交調査会は一二月二日にも開催された。主な議題は、青島租借問題と一一月一九日に提出された日本のパリ講和会議における要求条件についての審査報告についてであった。牧野と伊東連名で出された審査報告には、人種問題に関する言及はなく、この日の議論において人種差別撤廃が問題となってはいない。人種問題に関しては一一月一三日に読み上げられたもので、問題はないとされていたのである。

誰を派遣するのか

講和会議に誰を派遣するのかについては、戦争が継続中であった一九一八年秋口からすでに話は出ていた。九月末にブルガリアが停戦協定を結び戦闘を停止すると、同盟国の不利は明らかとなり、そのため休戦について他の連合国から交渉参加を求められる可能性が出て来たのである。一〇月半ばの時点では、講和会議については、内田外相は派遣されるのを望まず、そうすると結局、珍田駐英大使に出席させるとともに、日本からは幣原外務次官を派遣することになるだろうと原首相が述べたと、伊東が日記に記している。その後原首相は、まず駐英大使の珍田と駐仏大使の松井に出席させることにしたと、一〇月末の時点で記している。[19]

　原首相は当初、パリは日本からすれば遠隔地でもあり、講和会議の代表としては、すでに在欧の珍田大使と松井大使に任せる心づもりでいた。それは一九一七年のパリでの連合国会議にも、珍田を代表として出席させた流れに沿ったものであった。しかし、他の主要国は首相などのトップの派遣を考えていることが伝わると、日本政府も再考を迫られた。他の列強に合わせるなら、原敬首相と内田康哉外相が出席するのが望ましかった。ただ、組閣してからまだ二カ月の原が、長期間国を空けることは現実的ではなかった。それで、内田外相は、外相経験者もある牧野《まきの》伸顕《のぶあき》を訪問して打診したが、牧野は、「国内でこの上もない信頼があり、徳望のある人でなければなら」ないからと引き受けなかった。

珍田捨巳

　外交調査会のメンバーの多くも首相を派遣すべきとの考えに近く、中でも伊東巳代治は、これまでの外交上の不手際があったとして松井に任せることに否定的で、松井に任せると大国の列に入ることすら不可能になるとまで述べていた。また、世論も松井と珍田の二人に任せておくことに批判的で、一部主要紙は、加藤高明を特派すべしとの世論が強いことを伝えている。[20]

一方、原首相は一一月一七日に小田原まで山県有朋《やまがたありとも》を訪ねて、講和会議の人選について相談している。原は、世論が強く推す加藤は「我国第一の外交家とも思わざる」し、内政の観点からも好ましくないと持論を開陳した上で、だれか思い当たる人はいないかと山県に問うた。山県がいないと答えると、原は外交調査会の中の人物について、伊東は本人は行きたいと望むだろうが適任でなく、牧野しかいないだろうと、組閣時に外相就任を求めて断られた牧野を推した。また、西園寺が引き受けてくれるのであれば一番良いが、おそらく引き受けてくれないだろうとの見通しを述べた。

牧野伸顕

それを受けて山県は、おそらく西園寺は断るだろうが、まずもって西園寺に依頼するのが一番で、もし断られたら牧野でよいと述べた。この時の話し合いで、原と内田が赴くという話も出たが、原は自分がそのような長期間にわたって国を空けることはできないし、内田を長期間出すわけにもいかないとの考えを述べている。二人は西園寺が固辞し、牧野を派遣して、牧野、珍田、松井の三人が全権となって講和会議にあたるという見通しを持っていたように見える。このとき、西園寺は京都に滞在中で、高橋光威《たかはしみつたけ》書記官長を通しての打診となり、原や内田が直接会って依頼することはできていない[21]。

原の対応の遅さに不満を持つ伊東は、一一月二〇日、原に批判的である後藤新平と犬養毅《いぬかいつよし》を招いて相談の上、「原首相自ら出馬するの外あるへからす」、「松井珍田両大使に放任するは甚た其の当を得さるものと認むる」ということで、外交調査会の閣外メンバーの意見を取りまとめて原首相に意見することにした。(22)すなわち、加藤高明もしくは原首相自らがパリに赴くべしというのである。この意見を、後藤は外交調査会委員でもある枢密顧問官の平田東助に伝え、犬養は牧野に伝えて同意を得ている。それらに基づき平田が二二日に首相官邸に原を訪問し、原首相のパリ行を外交調査会の意見として勧告した。これに対して、先の山県との相談から西園寺《さいおんじ》公望《きんもち》、牧野の線で動いていた原は「目下他に詮考中」として、かわしている。(23)

欧州からも、現役の首相や外相自らが出席すべしという意見が寄せられていた。二一日には、自分と松井大使が全権となるとの情報を現地の新聞から得たロンドンの珍田大使から内田外相宛に、「講和会議ニ於テ列強間ノ権衡ヲ保チ帝国ノ威望ヲ将来ニ維持」するためには、首相や外相が日本を代表すべきであるという至急電が届いていた。もし、パリが遠すぎて首相や外相の渡欧が無理であれば、「重望家中《じゆうぼうか》」から「特派大使」を選んでもらいたいとあった。(24)

西園寺・牧野に託すまでの経緯

京都に滞在していた西園寺が二〇日夜、東京に戻り、翌朝原首相を訪問した。書記官を通じて話を聞いていた西園寺は、自分としては名誉ある話であり原を助けたくもあるので引き受けたいが、去年肺炎を患い京都からの列車ですら苦痛であったので、インド洋を越えていくことなどを考えると勇気も出ないと述べた。候補については、加藤は考えるにも及ばず、牧野でもよいが十分ではなく、内田を送ってはと提案し、大隈重信《おおくましげのぶ》も面白いとまで述べたので、原は山県との内容を伝えて、西園寺に依頼しているわけを以下のように説明した。原と内田の派遣の可能性も話に出たがもとより事情が許さず、加藤については山県も反対で、外交調査会メンバーの寺内、後藤、伊東は話にもならず、大隈に至っては期待して待っているに違いないと山県は大声をあげて笑ったというのである。

結局、西園寺に依頼し、断られたら牧野でいくとなったと伝え、途中で発病して帰国しても、具合が悪くて会議を休んでも構わないとまで原は述べたが、やはり、引き受けてもらえず、内田か牧野かということになって別れている。

その日の午後、原は内田を呼んで、西園寺派遣は諦めるしかないという感触を伝えた。しかし、内田の見立ては異なっていた。西園寺が引き受ける可能性がまだあると考えていたのである。それで、牧野が引き受けるかどうかすらわからないのであるからとして、もう一度、西園寺を訪問したいと主張した。原は内田を伴ってその日の午後、西園寺を訪問した。西園寺は午前中と同様、体調が許さないと繰り返した。原は、苦肉の策として、当分体調と相談してもらい、外向けには西園寺と牧野を派遣すると公表するが、実際に赴くかは体調を見て決めてよく、牧野を先発させると説明して、場合によっては赴かなくても構わないということを含ませて説得した。また、そもそも、現地の実務は珍田と松井でおそらく足りることであり、先発する牧野が到着する前に片付いている可能性もなくはないほどであるとも説明したところ、ようやく西園寺は受け入れた[25]。以上は原の側の説明であるが、この間の経緯について西園寺自身は次のように記している。

わたしがヴェルサイユの講和会議に行くことになつたのは、世間では、原がやつたことのように思つているが、ほんとうはわたしを説きつけたのは山県なのです［……］原は、山県のさし金であることを、おくびにも出さなかつたが、わたしは山県の発意であることを、よく知りぬいていた。(26)

いずれにせよこうして形だけでも構わないし、行かなくても構わないということで何とか西園寺に承諾させたのち、すぐに原と内田は牧野を総理官邸に呼び出した。一〇日ほど前に内田に依頼されて断っていた牧野は、原が自分に全権を務めてもらいたいというのを意外の念をもって聞き、フランス経験も豊富でジョルジュ・クレマンソーとも旧知との理由から西園寺がいかに適任であるかを説明し、自分は任にあらずという前回と同様の理由で固辞した。原は、西園寺は健康が許せば赴く可能性もあるので先発してもらいたいと告げた。牧野は加藤高明の名前も出したが、加藤に対しては元老の反対がある旨、原が説明すると、牧野は西園寺と直接話したいと希望したので、原はそのようにしてくれるよう話した。西園寺と話したいという牧野に原は、「如何にも面倒臭き話」と思ったものの「先《ま》づ其成往に任せ」ておいたのであった。(27)

牧野が駿河台の西園寺邸を訪問して首席全権就任を依頼したところ、当初は病気を理由に渋る姿勢は変わらなかった。それで牧野が、出発を遅くしてその間静養し、それで健康を回復したならば参加することにしてはどうかと述べ、また、パリでは自分が「下働き」をすると申し出たところ、西園寺は少し考えて、自分の健康が回復し、パリに牧野が来てくれるなら行くとなった。

「特使の人選に困って居るさうだがイッソ外調委員全部を特派したらどうか？」いっそのこと外交調査会全員を派遣してはどうかという皮肉（『時事新報』1918年11月21日発行夕刊）

首席全権の重みを知る牧野は、このことを公にすることも西園寺に確認している。原や牧野が、首席全権を西園寺にしたことの発表にこだわったのは、首相のかわりとして十分重みのある元老西園寺を任命したことで世間を安心させ、任命した後、病状が悪化して渡仏不可となることはありうることで、それは世間も納得するだろうと考えたからであった[28]。

こうして日本の首席全権は西園寺に、次席全権は牧野に決まった。原内閣は一一月二七日に、西園寺、牧野、珍田、松井を講和会議に派遣すると発表した。ただ、この西園寺の再三の固辞のため、日本全権はメンバーの決定が遅れ、従って出発も遅れることになった。もとより主席全権の西園寺は、実質的な日本代表の長の役割を次席全権の牧野が担うことを期待しており、急ぎ出発するつもりはなく、他方、牧野は急ぎ出発の準備にかかった。

一二月八日の外交調査会

外交調査会では、そもそも国際連盟設立に賛成すべきか否かについても意見が割れていた。牧野のパリに向けての出発は一二月一〇日に決まったが、その直前、出発前最後の出席となる一二月八日の外交調査会に出席した折、牧野は自らの意見を綴った書面を提出した。これは牧野が講和会議に臨む上での現時点での考えを綴ったものであった。八日午前九時から首相官邸で始まった外交調査会は、牧野が自らの意見書を読み上げるところから始まった[29]。

牧野はまず、日本は表裏のある国と見られる傾向があるので、講和会議は日本が信用にたる国であることを示す重要な機会であるとした。また国際連盟設立に関しては、「英米仏伊白等諸国ノ間ニ一度其議成ラハ事実上成立ノ緒ニ就ケルモノト認ムルヲ得ヘク而モ右ノ議成ルハ案外容易ナルヘキコト想像ニ難」くない、すなわち、国際連盟は設立されるであろうと見なした。そして、その見立てから、日本がもし様子見にとどまっていると、将来的に不利になる恐れがあるので、「少クトモ主義上ハ進テ国際連盟ノ成立ニ賛同スルコトニ政府ノ議ヲ決スルコト必要ト認ム」とした[30]。

その上で、「国際連盟問題ニ対シ帝国ニ於テ明白公正ノ態度ニ出ツルニ於テハ人種宗教国力等ノ別ニヨラサル完全平等ノ待遇ヲ要求スル問題ノ如キモ自ラ其ノ前途ヲ平坦タラシムルニ与テ力アルヘキコト疑ヲ容レサルナリ」と結んだ。国際連盟に日本が積極的賛同を示すことがまずもって重要であり、そのことが結果として、人種差別がなく平等な扱いを受けることにつながり、他国の協力を得られやすくなる下地をつくるというのである。この意見書は、外務省政務局の小村欣一課長が作成したものであり、このことからも小村がこの問題に関して中心となって取り組んだことがわかる[31]。

これに対して、欧米の人種差別的姿勢をことさらに警戒する伊東巳代治枢密顧問官は、国際連盟設立に日本が賛同することに強い懸念を表明した。国際連盟は、欧米列強、中でも「『アングロサクソン』人種ノ現状維持ヲ目的トスル一種ノ政治的同盟ノ成立シテ其ノ以外ノ列国ハ将来ノ発展ヲ掣肘セラルルノ結果ヲ見ルニ至ルヤモ亦知ルヘカラス」、すなわち米英というアングロサクソンの強国が自分たちに都合の良い現状を維持するために作ったものであると考えられ、人種も違い現状維持が得策とも思われない日本が、進んで参加すべきものではないとの意見を表明したのである。そして「黄禍論的大同盟」になりかねないような国際連盟に参加する場合は、人種差別撤廃提案のようなものが採択されることがなんとしても必要であると主張した(32)。

しかし、伊東の主張のような理解は、日本では一定程度支持を集めてはいたものの、欧米列強の現状認識から大きく乖離していた。そもそも日本は主要戦勝国であり、ウィルソン大統領にしてみれば、日本は講和会議に参加するということで、自らの一四カ条、なかでも国際連盟の設立に当然賛同していると考えられており、国際連盟設立を積極的に支持する大国の一つとしての参加を期待されていたからである。

牧野一行出発

牧野一行は一二月一〇日に日本を出発した。彼らは太平洋横断ルートを選択した。横浜港から東洋汽船の天洋丸でサンフランシスコに向かい、大陸横断鉄道で北米大陸を横切り、アメリカ東海岸から高速汽船でヨーロッパを目指すというルートである。これには、ウィルソンが計画している国際機関設立に関して日本政府がもっていた情報があまりに少なかったため、米国を経由することで新たな情報が得られるのではないかという狙いがあった。

一二月三日には、西園寺、牧野、珍田、松井、伊集院彦吉《いじゅういんひこきち》の全権委員に加えて随員を含めた講和会議参加者が裁可されていた。主な随員としては、外務省からは吉田茂、松岡洋右《まつおかようすけ》、佐分利貞《さぶりさだ》男《お》、木村鋭市、有田八郎らが同行した。陸軍からは奈良《なら》武次《たけじ》中将、二宮治重《にのみやはるしげ》中佐、畑俊六《はたしゅんろく》中佐、藤岡万蔵大尉、海軍からは竹下勇《たけしたいさむ》中将、野村吉三郎《のむらきちさぶろう》大佐、山本信次郎《やまもとしんじろう》大佐らが参加。ほかにも近藤廉平日本郵船社長や喜多《きた》又蔵《またぞう》日本綿花社長、深井英五日本銀行理事、福井菊三郎三井合名理事、立作太郎東京帝大教授ら、実業家や学者の顔もあった。すでに在外の在英仏大使館の参事官や駐英大使館附武官も含まれていた。日本から向かう牧野全権と随員の先発隊一行には、有力新聞社の記者たちも同行していた。また、労働運動家の鈴木《すずき》文治《ぶんじ》も乗り合わせていた。

この日、牧野一行は東京駅の特別列車に集合して横浜へと向かった。東京駅は一行を一目見ようとものすごい人だかりであった。九時半に牧野の車が駅に横付けされ、黒い中折れ帽に金の縁なし眼鏡をかけた牧野が降りると、新聞社の写真班のフラッシュが一斉にたかれた。英米仏などの各国大使の姿もあった。原首相も駆けつけ牧野に言葉をかけている。内田外相は、四番線から出発した特別列車に同乗し横浜まで同行した。横浜港も見送りの群衆でごった返しており、その日の見送り人は二万人ほどであったという。そこにこの問題に対する日本国内の世論の関心の高さを見ることができる。天洋丸は午後五時に出帆した。

国内世論の高まり

牧野の出発に合わせて『東京朝日』は「講和の根本方針」と題する論説を掲載した。その中で、青島や南洋などの権益は「当然の条件」としつつ、次に重要なものとして挙げたのが人種平等であった。近年、人種や宗教を理由とする欧米人の偏見をなくし、アジア人に対する平等の権利を主張すべきという見解が有力となってきていることをもっともとしつつ、そのような人種平等を国際機関加盟の「前提たらざるべからず」と書いている。ただ、平和主義と軍国主義の間をふらしつつ人種平等を主張するようでは欧米から「黄種同盟の野心」を抱いていると勘繰られるので、平和主義を大前提としなければならないとした。(33)

この間、日本国内では人種差別撤廃に対する世論が大いに高まっていた。ウィルソンが一九一八年年頭に一四カ条を発表すると、第一次世界大戦前から日本国内では新聞雑誌がこれを人種差別と結びつけて論じていたのは先に述べた通りであるが、一二月に入ってそのような動きは増すばかりであった。

一二月一日の『国民新聞』は、人種問題を解決していない正義人道は「虚偽の正義人道」であり「虚偽の正義人道の上に建てらるゝ世界平和同盟は砂上の家なり」と書いた。一二月一〇日の『東京朝日』も、人種平等が連盟加盟の前提条件と主張した。佐藤鋼次郎《さとうこうじろう》予備陸軍中将らからなる国防義会有志や、満川亀太郎《みつかわかめたろう》ら老壮会有志などからなる民間諸団体からの「講和意見書」が伊東巳代治宛に届けられたのもその頃であった。その冒頭に「総ての人種は平等たるべし人種的差別の法律及取扱は総て撤廃す」と書かれていることからも、日本人にとって新たな国際機関の設立と人種平等が強く結びつけて考えられていたことがわかる。

また、人種平等は日本人にとっては移民問題と切っても切り離せないものであった。大隈重信は翌年正月一日の『国民新聞』に寄稿し、人種平等なくしては世界平和はなしえずとした上で、米国世論が移民問題に寛容になることや、日系移民がどの国にも自由に入国できるようになることを希望すると述べた。この記事については、駐日米国大使のモリスが、すぐに国務省に報告している。この後、日本が国際連盟における人種平等を米国内の移民問題に用いることを警戒するアメリカ人に対し、米国内で石井菊次郎駐米大使は、移民問題と人種平等問題を切り離しにかかるが、大隈の論説に見られるような考えは日本人の間に根強く、それは時折噴出し、アメリカ人が警戒を緩めることはなかった(34)。

北米大陸横断

牧野を乗せた天洋丸は、一二月二六日にサンフランシスコ港に入り大いに歓迎を受けている。そこには、全権団に加わるよう命じられてポートランド領事を免じられ、前日にサンフランシスコ入りしていた重光葵《しげみつまもる》の姿もあった。牧野一行は、急ぎグレート・ノーザン鉄道を利用してシカゴ経由でニューヨークに向かった。東伏見宮が一九一八年のロンドン訪問の帰途に利用した特別列車が利用された。米国政府の計らいで特別な警備が付けられ、国務省からも接待員が派遣されている。そうしてようやくニューヨークに到着したのは一二月三一日であった。正装して大晦日のパーティーが行われている高級ホテルのウォルドルフ＝アストリアのロビーを「汚れた旅行姿」で一行が通り過ぎたのは「異様な風景」であったと重光が書き残している(35)。

この頃アメリカでは人種差別に苦しむ黒人たちの間で、パリ講和会議が人種平等について何らかのことをしてくれるのではないかという期待が高まっていた。そのことに関して、一九一九年一月二日、起業家として財を成した黒人女性C・J・ウォーカーの邸宅で集まりがもたれ、関係者や黒人新聞の記者などが詰めかけた。そのメンバーの中には、組合活動家で『メッセンジャー』誌の編集者でもあったフィリップ・ランドルフやジャーナリストのアイダ・ウェルズ、そしてマーカス・ガーヴィーなど著名人が多く含まれていた。

このウォーカー邸での集まりにおいて万国有色民協会が設立された。その活動の手始めとして、日本代表団がニューヨークに滞在中に宿舎としたウォルドルフ＝アストリアを一月七日に訪問している。日本がパリ講和会議において、人種差別撤廃を目指して何がしかの提案をするのではないかというニュースは黒人の間にも広まっていたからであった。同じ非白人として、日本が黒人の窮状に同情的であると考え、パリにおいて人種差別をなくすために働いてくれることを期待したのである。

ウォルドルフ＝アストリアを訪れた黒人代表たちは、日本全権とともにパリに向かっていた『万朝報《よろずちょうほう》』の黒岩涙香《くろいわるいこう》と同ホテルで面会し、人種差別撤廃に対する自分たちの日本代表への期待を伝えている。黒人代表側は、この面会によって日本への期待を強めたが、どれほどの効果があったかは不明である。黒岩が強い印象を受けた記録は残っていないし、そもそも黒岩涙香は、全権でもなければ外交官でもなく、また、有力新聞社幹部の団体である春秋社の代表としてパリに向かうはずであったのが、五大新聞から新聞代表としてパリへ向かうことに異議を唱えられ、代表を辞任して一記者として同行しているという立場でしかなかった。

この時、人種差別に反対する他の団体もパリに向かう日本代表に希望を見出していた。例えばフィラデルフィアのメソジスト監督教会の一支部も「地上のすべての国における偏見と人種差別を除去する」よう求める同様の嘆願書を日本代表宛に送っており、日本が人種平等に向けて、何らかの貢献をしてくれるのではないかという期待が広く持たれていたことがわかる(36)。

一月八日、牧野一行は、ニューヨーク港から英国船カルマニア号で英国に向けて出発した。豪華な装飾を施した太平洋の客船と異なり、大西洋の客船は装飾を一切取り外した戦時体制のままで、つい最近まで戦争中であったことを一行に改めて思い起こさせた。この船には米国労働界の大物サミュエル・ゴンパーズ一行が乗り合わせており、それを知って日本全権ははじめて労働問題も会議の議題となることを知ったのであった。ここにも日本代表の準備不足が表れている。

航海は順調に進み、日本全権は一七日午後一時過ぎリバプールに到着し、特別列車でロンドンへと向かった。その夜、一行は複数のホテルに分かれて投宿した。牧野はサボイホテルであった。翌朝ロンドンを発ってイギリス海峡の港町フォークストンへ、そこから列車に乗ったまま英仏海峡を渡り、フランスのカレーに到着した。そして、そのままパリへと向かい、一八日午後一〇時過ぎにパリの北駅に到着し、ブリストルホテルに入っている。

一二月二三日の外交調査会

一二月二二日、首相官邸において午前一〇時から外交調査会が開かれた。主要議題は、パリ講和会議の日本全権に対する訓令案であった。訓令案は大きく三つに分けられた。日本が単独に利害関係を有する講和条件、有しない講和条件、他の連合国と共通の利害関係を有する講和条件の三つであった。第一に関しては、冒頭で「青島及赤道以北南洋諸島ニ対スル独逸国領土権ノ無償及無条件譲渡ヲ要求スルコト」と記されていた。第二では、直接利害関係のない案件については「特ニ必要ナキ限リ之ニ容喙セサル」とされた。積極的にかかわらないようにというのである。これがのちに日本代表が「サイレントパートナー」と揶揄される原因となる。第三に関しては基本的に、「大勢ノ帰向ヲ省察シ成ルヘク連合与国ト歩調ヲ一ニスルコト」とされた。この訓令案は微調整の上、採択されている[37]。

この訓令は一二月二六日付で内田外相から珍田大使に向けて発信された。この訓令本体には人種差別撤廃についての具体的指示は存在しないが、この電報には、附記として「ウィルソン十四箇条ニ対スル帝国政府意見」が添えられており、それは一一月三日の外交調査会で内田外相が読み上げたものであった。そしてその末尾には、国際連盟が設立する形勢になった場合には、「人種的偏見ヨリ生スルコトアルヘキ帝国ノ不利ヲ除去センカ為メ事情ノ許ス限リ適当ナル保障ノ方法ヲ講スルニ努ムヘシ」とあった。訓令の附記としてこの一文がある以上、そして国際連盟が設立されることとなった時は、牧野たちは人種差別撤廃に向けて何らかの行動を起こさざるを得な

くなったのである。ただ、これはもとより牧野自らが日本出発前から考えていたことでもあった。(38)

西園寺出発

西園寺全権一行は、年が明けて一月一四日、ようやくパリに向けて日本郵船の丹波丸で神戸港を発った。出発がここまで遅れたのは、西園寺が全権としてパリに向かう決心をしたのが遅かったことに加えて、高齢の西園寺を快適にパリに向かわせるための船の改装に時間がかかったということがあった。前方の一等船室左右二室という最上級の船室が西園寺に用意され快適な船旅が送れるよう改装され、また一等船室部全体が一行の貸し切りとなり、一般乗客の立ち入りが禁止された。(39)

「お土産を沢山お頼み申します」土産に対する国民の期待は大きかった（『時事新報』1919年1月11日発行夕刊）

出発に先立ち、一二月二一日には、西園寺は菊花大綬章を下賜された。これは伊藤博文、山県有朋、大山巌が日露戦争の功績をもって受けた大勲位菊花章頸飾に次ぐほとんど最高位の栄典であった。これは首席全権としてパリに赴く西園寺の威光を少しでも増そうと、山県が宮中に働きかけた結果であった。(40)

「これでは出ずにゐられまい」叙勲が講和会議のためであることは周知であった（『万朝報』1918年12月27日発行夕刊）

西園寺一行には、彼の世話をする関係者に加えて、のちに首相となる近衛文麿の顔もあった。近衛家と西園寺家は近しい間柄であったことから、パリ講和会議の見聞を望む近衛が、西園寺に願い出て随員としての渡航となったのである。この直前に近衛は、雑誌『日本及日本人』に「英米本位の平和主義を排す」と題する小論を掲載し、その中で、白人の人種差別を咎め、英米主導の国際機構の設立を批判した。名門の近衛が敗戦国のドイツの立場に理解を示し、英米を批判したことは英米政府関係者にとって驚きではあったが、まだ二〇代の若き貴族院議員の一人にすぎなかった。

ところが、その彼が西園寺首席全権の随員としてパリ講和会議に赴くというのである。英米の識者の中には胸をざわつかせる者もあった。英米に批判的な内容が、実は日本全権の隠された本音ではないかと訝《いぶか》ったのである。モリス駐日米国大使は、一月七日付の国務省宛の電文のなかで、当該記事の内容を伝えるとともに、近衛の見解を日本国内の多くの政治評論家や政治記者が支持していると報告した(41)。

西園寺一行を乗せた船は、牧野一行のように太平洋を東へとは向かわなかった。神戸から南へと沖縄の方角に南下したのである。サンフランシスコで鉄道に乗り換え、鉄道も乗り換えを重ねたうえ、ニューヨークで再び船に乗り換えるというアメリカ経由の旅程と異なり、神戸からマルセイユまでインド洋経由でフランスへと向かうこのルートは、体調に不安のある西園寺が行程中、フランス上陸まで望めばずっと横になっていることもできるものであった。

船が上海に寄港した折、ある人物から近衛に対し、会いたいとの伝言があった。近衛の「英米本位の平和主義を排す」は、上海でも評判となり、現地の英字誌『ミラーズ・レビュー』がその英訳を掲載していた。当時、上海のフランス租界に住んでいた孫文が、それを読み関心を示したのであった。近衛は孫文邸に招かれ夕食をともにしている。日中は山東問題で対立していたものの、「東亜民族覚醒」などの話題で二人は大いに盛り上がったという[42]。

日本の将来を左右する重要な任務を負った全権に対して、どのような期待がされていたかが当時の新聞から見て取ることができる。無論、山東や南洋のドイツ権益の確保が重要なことは言うまでもなかったが、それ以外に「我全権が最も注意と努力とを要するものを問はゞ、何人も其所謂国際連盟問題と人種的均等待遇とに在るを答ふるならん」とされた。そして、「国際平和を害し、四海兄弟主義を打破する重大なる要素は、人種の不均衡待遇」であるから、「白人国以外の強国たる我国の全権は、便宜上世界人口十四億五千万中九億即ち六割二分を占むる有色人種の為めにも」人種平等を唱えなければならないといった、人種差別撤廃に向けた利他的な動機が示されていた[43]。

註

(1) 幣原平和財団編『幣原喜重郎』(幣原平和財団、一九五五年)、一三六頁
(2)『東京朝日』大正七年一〇月二日、『大阪毎日』大正七年一〇月二七日付夕刊
(3)『国民新聞』大正七年一一月三日
(4)『国民新聞』大正七年一一月七日、近衛文麿「英米本位の平和主義を排す」『日本及日本人』大正七年一二月一五日号
(5) 小林竜夫編『翠《すい》雨《う》荘《そう》日記 臨時外交調査委員会会議筆記等』(原書房、一九六六年)、二八一～二八六頁
(6) 同右
(7) 同右
(8) 同右、二八六～二九三頁
(9) 幣原喜重郎『外交五十年』(中公文庫、一九八七年)二七四頁
(10) 小村欣一「講和会議ノ大勢カ日本ノ将来ニ及ホス影響及之ニ処スルノ方策」一九一八年一一月三〇日、牧野伸顕関係文書三三一、国会図書館憲政資料室
(11) *Foreign Relations of the United States, The Paris Peace Conferene, 1919*,(以下 *FRUS, Paris Peace Conference*, と略記)vol. I(Washington, DC: Government Printing Office, 1942), p. 490
(12)『中外商業新報』大正七年一二月一日;『亜細亜時論』大正七年一二月号
(13) 小林竜夫編『翠雨荘日記』、二九四～三一四頁
(14) 同右
(15) 同右
(16) 同右
(17)『大阪朝日』大正七年一一月三〇日
(18) 同右
(19) 原奎一郎編『原敬日記』(福村出版、一九六五～六七年)大正七年一〇月二九日
(20)『東京朝日』大正七年一一月一五日、二一日;『読売新聞』大正七年一一月二一日
(21)『原敬日記』大正七年一一月一七日

（22）『翠雨荘日記』、九七～九九頁
（23）立命館大学西園寺公望伝編纂委員会編『西園寺公望伝』第三巻（岩波書店、一九九三年）、二六六頁
（24）『日本外交文書』大正七年第三冊、六三四頁
（25）『原敬日記』大正七年一一月二一日
（26）『西園寺公望伝』第三巻、二七〇頁
（27）『原敬日記』大正七年一一月二五日
（28）牧野伸顕『回顧録』下（中公文庫、一九七八年）、一七〇～一七一頁；伊藤之雄『元老西園寺公望　古希からの挑戦』（文春新書、二〇〇七年）、一六四～一六五頁
（29）『翠雨荘日記』、三三三～三四三頁
（30）同右
（31）同右
（32）同右
（33）『東京朝日』大正七年一二月一〇日
（34）『国民新聞』大正八年一月一日；*FRUS, Paris Peace Conference*, vol. I, p. 493
（35）重光葵『外交回想録』（中公文庫、二〇一一年）、六一～六二頁
（36）Reginald Kearney, "Japan: Ally in the Struggle against Racism, 1919-1927," *Contributions in Black Studies*, 12 (1994), 117-28; 荒木圭子『マーカス・ガーヴィーと「想像の帝国」――国際的人種秩序への挑戦』（千倉書房、二〇二一年）、一七四～一七八頁
（37）『翠雨荘日記』、三四七～三六三頁
（38）『日本外交文書』大正七年第三冊、六六五～六七八頁
（39）伊藤之雄『元老西園寺公望』、一六六頁
（40）伊藤之雄『元老西園寺公望』、一六五頁
（41）中西寛「近衛文麿『英米本位の平和主義を排す』論文の背景――普遍主義への対応」『法学論叢』一三二号（一九九三年三月）、二一五～二五八頁；*FRUS, Paris Peace Conference*, vol. I, p. 494
（42）Jun'ichiro Shoji, "The Racial Equality Issue and Konoe Fumimaro," *Japan Review*, vol. 3, no. 3-4, pp. 20-27

(43)『東京朝日』大正八年一月一四日

第二章

日本全権、パリで活動開始

牧野一行のパリ到着

西園寺一行がようやく日本を発った数日後の一九一九年一月一八日夜、牧野全権一行はパリに到着した。牧野一行が到着するまでは、松井慶四郎駐仏大使が中心となって事態に対応していた。それを支えたのが駐仏日本大使館の職員である長岡春一参事官、芦田均、加藤外松《かとうそとまつ》、栗山茂、谷正之、澤田廉三《さわだれんぞう》らの書記官たちであった。彼らは日本全権の宿舎として、ヴァンドーム広場に面する高級ホテルであるブリストルを確保していた。英国のエドワード七世が定宿にした由緒あるホテルである。(1)

日本代表団は、政府から直接任命された関係者だけでも一〇〇人に至ろうかというこれまでの日本外交に例をみない規模であったが、ホームグランド開催のフランスはもとより、英米代表団などと比べてもその規模の小ささや専門家の少なさは否めず、対応しなければならない多くの問題に対してはいかにも不十分で準備不足は明らかであった。この点を現場を目にした近衛も米国代表団と比較して、次のように指摘している。

　米国のごときは、千九百十七年いよいよ欧州大戦に参加することとなるや、ハウス大佐を委員長とする幾多の委員会を設け、これらの委員会は専門の経済学者、法学者、財政家等はもちろん、人種学者、地理学者等をも網羅し、分担を定めて、あるいはシリヤの事情を調査し、あるいはバルカンの問題を考究したりと言う。彼らが着眼と抱負の遠大なるもって知るべし。

かくて精密かつ公平なる講和会議資料はウィルソン大統領の手許に集まり、大統領はこれを掲げて威風堂々とパリに乗り込み来たれるなり[2]。

この時の危機感が少壮外交官を中心に外務省革新同志会へとつながっていくが、とにかく人が足りない現場ではそれを補うため、まず、在欧の大公使館職員が招集された。全権の一人である珍田捨巳駐英大使は、斎藤博や堀内謙介を随伴してパリ入りしたし、駐伊大使の伊集院彦吉も急遽パリにむかった。オランダからは全権団事務総長として落合謙太郎公使が、また、ベルギーからは安達峰一郎公使が専門委員会代表として呼び寄せられた。ほかにも森賢吾駐英財務官や大角《おおすみ》岑生《みねお》駐仏武官も加わった。最終的には在欧の民間人、それに旅行でたまたま訪れていた邦人までかき集められることになった。当初、日本代表団の本拠としてオッシュ通りの日本大使館事務所が充てられたが、すぐに手狭となり、当初は全権団の宿舎とするはずだったブリストルが全権事務所も兼ねることになった。

西園寺の出発に先んじたとはいえ、牧野一行の到着は他の主要国の全権よりも遅いものであった。クレマンソー仏首相は自国首都パリでの講和会議開催を勝ち取っていたので移動する必要はなかった。当初は、講和会議の開催場所としては、オランダが取りざたされたりもし、ローザンヌやジュネーブに決まりかけたりした。デビッド・ロイド＝ジョージ英首相もウィルソンも、復讐心に満ち満ちた交戦国の首都パリで講和会議を開催するのは望ましくないと考えていた。しかし、大戦でフランスが受けた被害について語り、自国開催を涙ながらに懇願するクレマンソーに、

ジョルジュ・クレマンソー

ウィルソンもロイド＝ジョージも同意せざるを得なかったのである。アメリカはすでに、ウィルソン大統領が最側近のハウス大佐をドイツ降伏前の一九一八年秋から休戦条約交渉のためにパリに派遣していた。一九一八年一〇月一七日にニューヨーク港を発ったハウスは早くも、終戦前の一〇月二六日にはパリに到着していたのである。彼はフランス外務省にほど近いセーヌ川左岸に居を定めている。一一月に入ると彼を助けるスタッフもパリに到着し、ホテル・テルミナスに投宿し、その後、コンコルド広場を見下ろし、セーヌ川越しにエッフェル塔が臨める豪華なクリヨンホテルの貸し切りの準備が整うまで、伝統あるホテルであるル・ムーリスに滞在している。

ウィルソン出発

ウィルソン大統領本人は、侍医のケアリー・グレーソン医師やベーカー秘書を伴って一二月四日にニューヨーク港でジョージ・ワシントン号に乗船した。この船はもともと、進水当時は世界で三番目に大きなドイツの客船で、アメリカ人客を当て込んでそのような船名が付けられたという。それが開戦によって中立国アメリカによって抑留され、アメリカの参戦に伴って接収されていた。アメリカ大統領が在職中に国を離れたのは、パナマ運河建設現場を訪問したセオドア・ルーズベルトが最初で、西半球を離れて現職の大統領がヨーロッパに渡るというのは前代未聞のことであった。そのため、閣内にも反対があったが、ウィルソンはやる気満々であった。

その日のニューヨーク港は大統領の出発を一目見ようと多くの人が詰めかけており、マンハッタン島南端のバッテリー・パークなどは立錐の余地もないほどであった。ジョージ・ワシントン号が動き出すと、傍らの駆逐艦が二一発の礼砲を発射した。戦時体制でニューヨーク港には潜水艦からの攻撃を防ぐためのネットが張られており、その出口を通るため船は通常以上にスタテン島に接近したが、その時、何千もの児童たちが旗を振っているのが見えた。港の外には戦艦ペンシルベニアを含めて一一隻が待っており、さながら小艦隊のようであった。

大統領を乗せた船は大西洋を渡り、途中ロンドンで大歓迎を受けた後、一二月一三日にブレスト港に到着した。この日は一般に不吉とされることが多い一三日の金曜日であったが、一三が自身のラッキーナンバーと考えるウィルソン自身は運がいいと考えた。ブレストはウィルソンを歓迎する群衆で埋め尽くされており、ピション外相など高位のフランス人や欧州派遣軍司令長官のジョン・パーシング将軍らが出迎えた。豪華な列車が一行を待っており、みなすぐに乗り込み、列車は一時間半ほどで発車した。ただ、華やかな出迎えの町の雰囲気の中に、本当の町の様子を感じ取ったスタッフもいた。多くの女性が黒を身にまとっていたのである。

ウィルソン一行を乗せた列車は夜の闇の中をパリに向けてひた走った。午前三時頃グレーソン医師がふと窓の外を見ると夜中だというのに多くの人が沿線に集まり手を振っているのが見えた。そこには、ウィルソンに対するフランス国民の、命を救ってくれたことに対する感謝ともたらされる平和への期待が込められていた。

スタッフを乗せた車両は、午前六時にはパリに到着している。一方、ウィルソンを乗せた車両は、大統領に十分な休息をとらせるためにわざと到着を遅らせ、午前一〇時にパリに到着するように取り計らわれていた。この日は素晴らしい晴天であった。パリ中心部では、早朝からウィルソンが到着するのを見ようと、大勢の群衆が場所取りを始めていた。その数は時間が経つにつれ増える一方で、警備の兵士たちはウィルソン一行が通る道を開けるのにも苦労するほどであった。

特設のブローニュの森駅に到着したウィルソン一行をクレマンソーとポアンカレが出迎えた。馬車に乗り換えた一行は、シャンゼリゼ通りを進み、一度アレクサンドル三世橋を渡ってセーヌ川を越えた後、再びコンコルド橋を渡ってコンコルド広場へ入っていった。広場には鹵獲《ろかく》したドイツ軍の大砲が転がっていた。通りには「ウィルソン万歳」と書かれた横断幕が掲げられていた。この時のパリ市民の熱狂は映像に収められており、世界中の人々が目にすることになる。この熱狂にフランス国民のウィルソンに対する期待が表れていた。ウィルソンはナポレオン時代の趣を残す築二〇〇年の個人の邸宅に、米全権団の本隊は、高級ホテルのクリヨンホテルに居を定めた。

英仏代表団到着

人種差別撤廃提案問題のキーパーソンの一人であるイギリス側の国際連盟問題担当顧問のロバート・セシルは、一月六日にパリに到着した。法律家としての訓練を積んだ名門貴族の家系出身のセシルは、戦争防止のための国際機関設立の必要性を信じており、その専門家と見なされる数少ない存在だった。国際連盟については英米の共通の理解が不可欠と考える彼は、さっそくウィルソン大統領に面会しようとするが叶わず、ハウス大佐とランシング国務長官に面会した。セシルが受けたハウスの印象は上々であった。高邁で明敏な人物であり、もし人間を、大きなことを成し遂げたいという野心を持つ人間と、大物になりたいという人間に分けるとするなら、ハウスは間違いなく前者であり、自分の肩書にはまったく頓着せず、自国の国益をとにかく気にかけている人物に思えたと記している。世界の平和と繁栄には英米の相互理解が不可欠と確信しているように見えたのも、セシルにハウスが好印象を与えた理由の一つであった。セシルは次に、フランス代表団の国際連盟問題担当であるレオン・ブルジョワと面会している。

イギリスのロイド＝ジョージ首相は、セシル卿より少し遅れて一月一一日に到着したが、彼は世界のありとあらゆる問題に対処できる四〇〇人もの一団を伴っていた。その一団は一つのホテルには入りきらず、五つのホテルに分散し、英代表本隊はマジェスティックホテルに陣取った。機密保持のためマジェスティックホテルの従業員は全員イギリス人と交代させられた。ただ、従業員がフランス人のままの他のホテルにも機密書類は持ち込まれたので、どれほど効果的だったかに疑問を抱くハロルド・ニコルソンのような者もいた。首相はホテルではなくイギリス人所有の高級アパルトマンに入った。

ロバート・セシル

三大国以外でも動きの早い国はあった。山東問題を巡って日本と争うことになる中国の動きは早かった。講和会議期間中、中国代表の中心となって活躍することになる若き外交官顧維鈞《こいきん》は、赴任先のワシントンでウィルソン大統領と面談しており、大統領から山東問題では中国を支持するとの言質を得ていた。しかも、パリに向かってはウィルソンとアメリカ代表団の乗るジョージ・ワシントン号での同行を許されていたのである。一二月二七日には、顧維鈞はさっそくアメリカ代表団の法律顧問デビッド・ハンター・ミラーに面会して情報収集を始めていた。ミラーに、様々な国が自分たちの国の態度を示すために覚書を印刷してきているが、中国はどうかと聞かれて、まだ外相の到着を待っている段階で覚書はないと答えた。そして、日本がそのような覚書を用意しているかどうかを特に尋ねている。(3)

ロイド＝ジョージが一一日にパリに到着するや、その翌日から英米仏伊による大国の首脳会議第一回目が、その所在地からケドルセ（オルセー河岸）と呼びならわされているフランス外務省の外相執務室の奥で始まった。

日本は五大国か

この最高会議と呼ばれた英米仏伊の大国会議に日本全権が出席できるかは、確定していたわけではなかった。日本は戦勝国の一つであるとはいえ、欧米列強から不平等条約を結ばされて苦しんでいたのはそれほど以前のことではなく、またヨーロッパが主戦場の世界大戦において多大な貢献をしたかと問われれば、胸を張ってそうとも言えなかった。そしてなにより、世界の行く末を決める国際会議に大国の一つとして非白人国が参加するという前例もなかった。日本以外の大国はすべて白人国であり、人種のゆえをもって大国として参加できないことになれば、それはまさに外交調査会が懸念していたところであった。もちろんパリでは松井大使がピション仏外相に、日本の会議における地位について積極的に働きかけており、また同時にイギリスでも珍田大使が長く外相を務めたエドワード・グレイに同様の働きかけをしていた。

日本全権の講和会議における地位については、実は列強首脳がパリに顔を揃えるまで決まってはおらず、日本代表団は気をもんでいた。ようやくパリに英米仏伊の首脳が顔を揃え、その件も含め話し合っていることは日本代表団にも伝わってきたが、一向に連絡がなかった。それを心配した駐英大使館付武官の田中国重《たなかくにしげ》が、「まるで見捨てられたのでは困るから、松井大使に様子を見てきてもらったらどうか」と発言した。[4] それで松井がピション外相に改めて会って問い合わせたところ、ピションから松井大使宛に、一二日付で日本も翌一三日から大国会議に参加できる旨を記した書簡が届いた。松井大使の自叙伝の口絵にその書簡の写真が掲載されているが、それは極めて簡単な一枚の手書きのものであった。[5]

同時に講和会議の簡単なルールも明らかになってきた。講和会議の参加国は、大国、中等国、小国の三種類に分けられ、それぞれ全権を五人、三人、二人出すことができるということであった。なかでも日本は五人の全権を出し、皆が最高会議と呼ぶ会議に出席することができる大国と位置付けられることが明らかとなったのである。この最高会議は五大国会議とも呼ばれ、原則として各国から首脳と外相の二人が出席した。五大国から二人ずつということで十人会議とも呼ばれた。ただこの時点で、日本は首席全権の西園寺はおろか、事実上首席として日本代表団を仕切ることになる牧野次席全権すらいまだ到着していなかったため、すでに在欧の珍田駐英大使と松井駐仏大使が当面は出席することになった。この十人会議は三月二四日にウィルソンが、外相たちと日本代表の二人を除いた米英仏伊の首脳四人だけで自由闊達に意見交換できるものにしてはどうかと提案して四人会議になるまで続くことになる。

国際連盟設立が前提

このように牧野一行が一八日にパリ入りした時点で、すでに大国同士の話し合いは始まっていた。その模様から、国際連盟を設立するかどうかが話し合われるのではなく、国際連盟を設立するという前提からスタートするということが日本代表団の目にも明らかとなる。それは一月二二日の十人委員会においてであった。その日の会議で、ロイド＝ジョージが、連盟規約起草のための委員会設置を含む国際連盟設立に向けた決議案を提出したのである。その決議案には、国際連盟が講和会議の一部となるという文言も含まれていた。

慌てた牧野は、本国からの指示に従って留保を申し出た。日本は遠隔地に位置し十分な準備も欠いているので、政府からの訓令があるまでは決議案に拘束される準備ができていないと発言したのである。ウィルソンは、決議案は何も新しいことを含んでおらず、休戦と講和の基礎として最高軍事会議でも受け入れられているとすかさず述べ、日本は最高軍事会議に出ていないのか尋ねた。その会議に、日本を代表して松井が出席していたと答え、ただ、そこでは一四カ条が議論されなかったと言い訳した。

ウィルソンは、最高軍事会議が休戦の基礎として国際連盟を受け入れており、日本政府は他のすべての政府が受け入れている基礎を留保するということかと尋ねた。そもそも一四カ条をもとに開催される講和会議に参加することをもって、国際連盟設立を受け入れたと考えていたウィルソンは呆れていた。ロイド＝ジョージは少し意地悪に、国際連盟規約を作るための委員会に日本は代表を送りたくないのかと尋ね、牧野は慌てて代表を送りたいと返答した。日本政府が考えるのとはまったく異なったスピードで物事は進んでいたのである。(6)

排日移民問題とパリ講和会議

国際連盟設立の趨勢が明らかな場合には、人種偏見から生じる不利を取り除くために「適当ナル保障ノ方法ヲ講スルニ務ムルヘシ」との訓令を受けていた牧野らは、大国間では国際連盟設立が既定のこととなっていることをようやく理解し、事ここに至ってさっそく、人種差別に関して具体的な行動に出ることを迫られたのである。時あたかも、アメリカでは日本人排斥運動が盛り上がっていた。

当初は米国西海岸という一地方の労働問題にしかみえなかった排日移民問題は、日本政府が米政府に抗議し、セオドア・ルーズベルト大統領が介入することで国際問題となっていた。一九〇六年にサンフランシスコ市教育委員会が、日系学童が白人の通う一般の公立学校に通うことを禁止しそれに日本政府が強く抗議したことに危機感を覚えたルーズベルト大統領が、サンフランシスコに閣僚を派遣して介入する事態となっていたのである。その後も一九一三年にカリフォルニア州が、日系人をターゲットにした外国人土地法を成立させるなど、排日運動は盛り上がりを見せていた。

第一次世界大戦の影響で米国民の関心がヨーロッパに向けられ、また、途中からは日本と米国が同じ連合国として戦争に参加するに及んで、アメリカ西海岸の排日運動は一時下火になっていた。それが終戦とともに再び盛り上がり、日本人外交官にとって頭の痛い問題となっていた。アメリカ西海岸の日系人排斥問題は日米関係における最重要課題の一つとなり、駐米日本大使がハウス大佐を訪問して善処を依頼するまでになっていたのである。そのため日本人外交官の中に、講和会議を機会に排日問題を解決しておきたいと考える者が見られたのも不思議ではない。

米代表団への働きかけ

一月二二日の五大国会議に提出されたロイド＝ジョージの決議案は一月二五日の総会予備会議に提出され、国際連盟創設のための委員会を立ち上げることが正式に決まった。この委員会は一五人の委員からなることとされ、五大国から各二名の委員が、また、二七日の会議で、ベルギー、ブラジル、中国、ポルトガル、セルビアから各一名が選出されることとなった。

米国がウィルソン大統領とハウス大佐、英国はセシル卿と南アフリカのヤン・スマッツ、フランスがレオン・ブルジョワとフェルディナン・ラルノード、イタリアがヴィットーリオ・エマヌエーレ・オルランド首相とヴィットーリオ・シャロイヤ外相、日本が牧野と珍田、ベルギーからポール・ヘイマンス外相、ブラジルからエピタシオ・ペソア、中国から顧維鈞、ポルトガルからハイメ・バターリャ・レイス、セルビアからミレンコ・R・ヴェスニッチが選ばれた。また、後日他国からの要請もあって、ギリシャからエレフテリオス・ヴェニゼロス首相、ポーランドからロマン・ドモフスキ大統領、ルーマニアからコンスタンティン・ディアマンディ全権公使、チェコスロバキアからカレル・クラマーシュ首相が加わった。

国際連盟設立の動きが加速するにあたって、連盟設立が実現する場合には連盟における人種による差別的扱いを避けるよう努力するように訓令を受けていた日本全権にとって、まずもって連盟設立を積極的に進める中心人物にあたることが第一と考えられた。国際連盟案を最も積極的に推進していたのは一四カ条発案者のウィルソン大統領であり、また新設される国際連盟委員会の委員長も本人の強い希望でウィルソンが就くことになっていたため、まずもってウィルソンに働きかけるのが最良と思われた。ただ、ウィルソンは極めて多忙であったため、ウィルソン本人との面会を実現させるのはほぼ不可能に思われた。それでウィルソンの腹心であり、ウィルソン自身が「彼は私の第二の人格［……］彼の考えと私の考えは一つ」とまで述べていたハウス大佐との面談が模索された。実際、パリの米国代表団が本拠をおいたクリヨンホテルの部屋の配置にも、ハウスの米代表団に占める重要性は表れていた。ハウスの部屋はランシング国務長官らの部屋のあるフロアの一つ上の階の巨大なスイートルームで、ホテル外に居を定めていたウィルソンが米国代表団を訪れたときは、まっすぐにハウスの部屋に向かうのが常であった。ただ、この一月後半は、ハウスは昨年暮れから罹っていた当時スペイン風邪と呼ばれたインフルエンザの病明けのため休養中で面会が難しかった。

そこで、人種問題に対するアメリカ代表団の意向を探るべく、一月二六日、まずは珍田大使がランシング国務長官を訪ねた。ランシングは調子のよいことは言うものの、要領を得なかった。このランシングとの会見で、牧野と珍田は、やはり大統領その人、もしくは大統領と直接つながっている側近と面談しなければ埒が明かないと痛感した。また、同じ頃、一月二二日の十人委員会において、国際連盟に対して支持を留保する牧野の発言に不安を抱いたウィルソンが、その真意を確かめたいと望んでいるという情報を日本全権団は得ることができた。二二日の会議で牧野が連盟創設に対する賛成を留保したのは、日本に直接関係のない事項には本国に相談するようにとの一般的指示があったため、それに従ったまでであり、日本代表としては、国際連盟案にことさら反対する意図はなかった。しかし、ウィルソンは、自らが最重要と考える国際連盟の創設を含む一四カ条を基礎とする講和会議に日本が参加を決意した以上、日本もすぐさま賛成してくれるものと想定していたため、日本の留保をことさら意外の念をもって受け止めたのであった。この流れはともかく、ウィルソンが日本代表の意向を知りたがっているとの情報を得て、牧野と珍田は、改めてウィルソン、もしくはハウス大佐との面談の可能性を模索した。

石井・ハウス会談

ただ、他の様々な重要問題を抱えるウィルソン大統領は相変わらず多忙を極めており、ウィルソンとの面談を実現させるのは事実上不可能であった。そのため病が癒えたハウス大佐と面談を実現させるのが重要と思われた。

牧野らがハウスとの面談にこだわったのにはもう一つ理由があった。以前から、米国内での日系移民問題の解決をめぐって駐米日本大使がハウスを訪問し、日本側の事情を説明し、ハウスも一定の理解を示していたのである。一九一七年には佐藤愛麿《さとうあいまろ》大使が、一九一八年には石井菊次郎大使がハウスに対して日本側の事情を説明し、理解を求めていた。特に直近の一九一八年七月六日の石井・ハウス会談は、パリ講和会議における人種差別撤廃提案問題の詳細を記録した「国際連盟人種差別撤廃」と題する外務省記録の簿冊冒頭に綴られており、外務省関係者が、アメリカの日系移民問題とパリの人種差別撤廃提案の提出を一連の出来事として認識していたことをうかがわせる。この石井・ハウス会談を石井の本省への報告と、ハウスの記録の両方から見てみたい。

“THE PARIS PEACE PUZZLE” 非白人の大国というこれまでにない存在に悩む女神（*Miami Daily Record-Herald*、1919年2月10日発行）

石井は一九一八年四月の駐米大使としてのワシントン到着後、できるだけ早く個別に会いたいとハウスとの面会を求めていた。しかしハウスはワシントンではなく、ニューヨークのオフィスに居ることが多く、また石井自身も多忙であったため、ようやく七月に入って会うことが叶ったのである。夏の時期、多くの米政府関係者は、避暑先に滞在するのが通例である。ハウスもその例に漏れず、その時期はマサチューセッツ州ボストンの北に位置するマグノリアの別荘に滞在していた。この別邸は、ニューヨークの彼のオフィス同様、ホワイトハウスの大統領執務室と直通電話で結ばれていた。

石井は自動車でボストンを経由して、マグノリアにその日の午後到着している。双方の記録とも、会談時間はおよそ一時間であったと記している。石井の記録では、まずハウスが戦局に対する見解を開陳した。それが一段落したところで石井が、以前から伺いたいことがあったと切り出した。その中で石井は、日系人が米国で排斥され続け、また英領のカナダ、オーストラリア、南アフリカなどで排斥されるならば、「窒息スル」と述べた。そして、同様の状況が続くのであれば、日本国民としてはそのような国際情勢を「正義」とするという意見には賛同できないとして、日本国民にも「他国民ト同様活動ノ余地」を与えられることを望むと主張した(7)。

それに対してハウスは、その件に関しては大統領との間で話題に上ることもあって、気にしていると応じた。そして、日本人のような「活発ニシテ能力ニ富メル国民」に対して「不自然ナ制限」を加えるのは正義に反しているので、日本が軍縮と平和の道において米国に協力するのであれば、米国政府は日本国民の活動を容易にするように協力すると、日本側に寄り添った返答をしている。また、ハウスがエドワード・グレイ英外相と会った時に、日本移民に活動の余地を与えるように述べたところ、グレイ外相も同意したとも付け加えている。そして米国政府として「日本国民ノ正当ナル発達ニ同情スルコト至当ナルコトヲ米国国民ニ向テ説明」するとともに、欧州各国政府にも伝えるとまで述べたとしている(8)。

一方、ハウス側の記録では、会談は「友好的で啓発的」であったとされているものの、ハウスが石井に合意したのは、近隣のアジア諸国への日本国民の移民の自由についての共感であるとだけ記されている(9)。

牧野・珍田、ハウスに会う

牧野、珍田両全権のハウスとの面談は二月に入るとすぐに実現した。二月二日、牧野と珍田は、人種案に関して日本がとるべき最善策について助言を求めてハウスを訪問した。日本側の事情を説明したところ、ハウスは「意外ニモ［……］頗《すこぶ》ル同情的所見ヲ披瀝シ」た。牧野は、昨年七月に石井菊次郎駐米大使がハウスと会談した折に、石井が移民問題に対する日本側の事情を説明したところ、ハウスが好意的であったとの報告を受けていた。そのため今回のパリでのハウスの態度に、石井が報告した同情的態度をハウスは「維持シ居ルコト明瞭トナリタル」と牧野は判断した。実際ハウスは、石井の前任の佐藤愛麿大使との会談からも、日本がまずもって移民問題の解決を求めていることを知らされており、その後の大統領への報告で、日本が世界への進出を妨げられており、東アジアにおいて優越的地位を認められなければ、米国は「後悔することになるだろう」と書いている。このように、ハウスが日本の要求にはある程度の理解を示していたことがわかる(10)。

ハウスの記録では、日本全権の二人はハウスに対して、講和会議は人種平等の広範な原則を国際連盟を通じて表明すべきであると考えるが、可能であれば自分たちでその件を持ち出したくないと語ったという。事を荒立てることなく、日本の要求を通す道があれば好都合と考えたのであろう。それに対し、ハウスは、日本側が希望する案と、受け入れ可能な案の二案を用意するよう助言した。牧野と珍田は、ハウスが昨年七月に石井駐米大使に対して、日本政府を喜ばせるような発言を行ったので、「友人」とみなして助言を頂きに来たと、念を押した。それに対して、ハウスは、自分は人種、宗教、その他の偏見に反対であると応じたが、一方で、こうも続けた。偏見は至る所に存在し、西洋諸国同士にも存在するし、多くのアングロサクソン人はラテン系の人に偏見をもっているし、その逆も真であるということもできると付け加えて、ある意味、お茶を濁した。ハウスはこれらの日本全権団について記録するのに「ジャップ」という表現を用いている。[11]

ハウスの提案を受けて牧野と珍田は、二月四日に人種差別撤廃提案の「案文を拵えて持って行った」。日本側の記録だけを読むと、甲案と乙案の二案を持参したのは日本全権のアイディアのようにも読めるが、ハウスがここで嘘を書く理由も格段なく、ハウスの提案によるものと考えるのが自然であろう。

牧野らが持参した二案であるが、甲案は、「各国民均等ノ主義ハ連盟ノ基本的綱領ナルニ依リ締約国ハ其ノ領域内ニ在ル外国人ニ附与スヘキ待遇及権利ニ関シテハ法律上並事実上何人ニ対シテモ人種或ハ国籍如何ニ依リ差別ヲ設ケサルコトヲ約ス」（強調は著者）となっており、一方、乙案は、「各国民均等ノ主義ハ国際連盟ノ基本的綱領ナルニ依リ締約国ハ各自其ノ領域ニ於ケル外国人ニ対シ法律上並事実上正当権力内ニ於テ為シ得ル限リ均等ノ待遇及権利ヲ与ヘ人種或ハ国籍ノ如何ニ依リ差別ヲ設ケサルコトヲ約ス」（強調は著者）とあった。甲案乙案共に個人の平等ではなく国民として平等となっている。比べてみると、途中までは同じであり、後半において一部異なっているのがわかる。差別しない範囲に関して、甲案では「何人ニ対シテモ」とより幅広いものになっているのに対し、乙案は、「正当権力内ニ於テ為シ得ル限リ均等ノ待遇及権利ヲ与ヘ」と、できる範囲で差別しないという緩いものになっていることがわかる。(12)

まず甲案を示すと、ハウスは即座に反対したので、乙案を示したところ、私見として賛成で、大統領も同意すると考えるし、大統領の提案として国際連盟委員会に提出することも可能との意見を述べた。日本側にとって願ってもない好意的な受け止めであった。日本案に反対しないどころか、ウィルソンが自ら委員会に提案してもよいというのである。国際連盟委員会の委員長であるウィルソンが自らの案として提出すれば採択は約束されたも同然といえた。牧野と珍田はウィルソンに案を見せてもらうために、ハウスに配慮を依頼してその夜は辞去している。

翌五日、ハウスは両案を大統領に見せている。甲案は即座に却下されたものの、ウィルソンは、乙案の方はよいのではないかとの感触で、「正当権力内ニ於テ為シ得ル限リ」とある部分を「成ル可ク速ニ且ツ出来得ル限リ」と、大統領自ら少しだけ手書きで直しを入れるほどであったという。ハウスの記録によると、大統領が乙案に直しを入れたこの日の夕刻、ハウスは大統領の直しの入った修正案を珍田に見せている。その修正案は申し分ないと珍田が考えたようにハウスには見え、珍田は戻って同僚と検討すると語ったという。(13)

最重要とみられていたウィルソンが意外にも好感を示したことで、日本側の説得相手は次にイギリスに移った。当初は、直接イギリス側に接触するのではなく、アメリカ代表に、イギリス側に話を内々に通してもらうというやり方をとったが、日本全権としても直接英全権のアーサー・バルフォア外相や国際連盟問題を任されているセシル卿と会見して説得することにした。その一方で、おそらくは欲を出した牧野らは、移民問題の解決をも含んだ、より日本に有利な条項の挿入の可能性についても、ハウスに対して模索していくことになる。

珍田は翌六日に、大統領が修正を加えた例の乙案では実質的に無意味であると法律顧問に言われたからと、また別の案を持ってハウスを訪ねて来たという。その案は、アメリカにも英連邦にも受け入れられないようにハウスには思われた。日本代表は、移民に関する条項の採択を連盟加盟の必要条件としているのだとハウスは感じ、アメリカ人と英自治領の立場を弱めることなく、同時に日本人の自尊心を満足させる妥協によって打開できるのではないかとの感触を持った(14)。

ハウスとセシル

二月八日午前、ハウスが、アメリカ代表団のデイヴィッド・ミラー法律顧問とランシング国務長官の顧問でイギリス人のウィリアム・ワイズマン卿の二人と日本の提案について話していると、そこにイギリス全権の一人セシル卿が入って来た。そしてセシルは、イギリスがこの提案に賛同することはない、いかなる形でも、と述べた。それというのも、白豪主義をとるオーストラリアを代表するビリー・ヒューズ首相が頑強に反対している以上、イギリスとしては日本の提案に賛成するわけにはいかないというのである。
ヒューズが人種案の存在を知ったのは、牧野らが根回しを始めてから少したってからのことであった。日本の試みを聞きつけたヒューズは、そのようなものが認められた場合、すべての国際連盟加盟国の国民の加盟国や地域への自由入国を許すことになりかねないと考えた。それは白豪主義を旨とするオーストラリアを代表する彼にとっては許しがたいことであった。国際連盟委員会が、日本のそのような案を、真剣に議論することはもちろんのこと、「軽く玩《もてあそ》ぶ」ようなことすらヒューズには信じられなかった。それ故、もし早い時期に日本案の息の根を止めなければ、「それは我々の知るオーストラリアの終わりを意味する」と深刻に受け止めた。ヒューズ一流の表現を用いれば、白豪主義が「穴の開いた膀胱」になってしまうというのである。(15)
オーストラリアへの非白人入国を危惧する動きは、ヒューズ以外にも広く共有されていた。この頃、ロナルド・マンロー＝ファーガソン豪総督は次のように英国政府に警告している。

オーストラリアからすべてのアジア人を排斥することに当事者みなが満場一致で賛成している。そして、ヒューズほどあけすけでないものの、日本人の南への拡大は対抗されるべきと、ほとんどの政治家たちが案じている。(16)

二月九日にも牧野と珍田はハウスを往訪した。日本全権とハウスが用意したいかなる解決案にもヒューズが反対している以上、もはやこの時点ではイギリス人に任せるしかないと、ハウスは

二人に伝えたことがアメリカ側の記録に残っているのみである。(17)

ハウスとバルフォア

二月九日の夕方、ミラーがクリヨンホテルの三〇五号室で翌日提出の書類の準備をしていると、ハウスが訪ねて来て二人は日本の提案について話した。このときハウスが日本案として持参したのは以下の文言であった。

各国民均等ノ主義ハ国際連盟ノ基本的綱領ナルニ依リ締約国ハ成ルヘク速ニ連盟員タル国家ニ於ケル一切ノ外国人ニ対シ如何ナル点ニ付テモ均等公正ノ待遇ヲ与ヘ人種或ハ国籍如何ニ依リ法律上或ハ事実上何等差別ヲ設ケサルコトヲ約ス。(18)

ウィルソン自身が書き込んだ「成ル可ク速ニ且ツ出来得ル限リ」の部分から「且ツ出来得ル限リ」を削除し、「外国人ニ対シ」の前に「一切ノ」を付け加えて、強めた表現になっているのがわかる。基本的には甲案で、ウィルソンの直しの一部を反映させたものであった。

そこに英全権のバルフォアが入ってきた。公式な訪問ではなくオフレコの私的な訪問である。ハウスは、「すべての人間は生まれながらにして平等」という一節から始まる鉛筆書きの提案をバルフォアに見せた。これはハウスが牧野を納得させるために、ヒューズを身構えさせないと同時に、日本全権をも満足させるものとして作成させたいくつかの草案のうちの一つであった。その草案はアメリカ独立宣言を思い起こさせる内容であった。

これに対してバルフォアは、これは一八世紀のもので、そのような考えは流行遅れであると述べた。そして、ある特定の国の人間が皆平等に創られているというのはある意味正しいと思うが、中央アフリカの人間がヨーロッパ人と平等に創られているとは思えないと率直に語った。それに対してハウスは反論せず、話題をずらして、地表のほとんどすべてから日本人を排斥するという政策はやめさせるか、少なくとも縮小されなければならないと主張した。ハウスは、「日本は偉大で成長しつつある国である。その国民は、狭く混雑した島々に閉じ込められており、すべてから締め出されており、行く場所がない」と述べた。アフリカに行ってはいけない、どの白人国にも行けない、中国にも行っては駄目、シベリアも駄目といった排斥政策がどこまで続けられるだろうか、日本は発展しつつある国で、国土はすべて耕されつくされているというのである(19)。

バルフォアは日本人には同情するし、その問題のために現実的解決策を進めるために、できることは何でもするだろうと答えた。ただ、同時にバルフォアは、「ヒューズは彼等［日本人］がオーストラリアに入るのを認めないだろうし、私が間違っているのでなければ、カリフォルニアのあなたの国の人々は、より制限された移民にすら反対するだろう。我々は別の場所、遠く離れたどこかに目を向けなければならない」とも述べた。この会話の内容はその場にいたミラーの記録による。ハウスの日記には、その日バルフォアと「日本代表の人種問題に関する提案について長時間話し合ったが結論には至らなかった」とだけ記し、詳細な会話の内容については触れていない。

ている。

一方、バルフォアの方は、このハウスとの会話について二月一〇日に次のように口述筆記させている。

ハウス大佐は私に紙の束を見せたが、そのそれぞれが移民問題について日本人を満足させる案を見つけるための試みを表していた。そのような定式なしには、連盟加盟は困難か、不可能であると日本人はほのめかしていた。

これは我々連合国に対するまさに脅迫の試みだと私は述べたが、ハウス大佐もそれに同意した。しかし、彼らの行動がどのような言葉で表現されるにせよ、解決が必要な問題を生じさせたのである。それから彼は私に最後の案を見せたが、それは（アメリカ合衆国憲法からの引用された）「すべての人は生まれながらにして平等」という一八世紀の教義の記述から始まっていた。ハウス大佐の見解は、そのような前文は、いかにアメリカの慣行と一致するところが少なくとも、アメリカ人の心に訴えかけ、その案の残りの部分がアメリカ世論にとって受け入れやすくなるだろうというものだった。彼は私にその写しはくれなかったが、国際連盟の側の、平等で無制限の移民法の原則への共感を示しているという欠陥があるように私には思え、それを実効あるものにするというのは、合衆国や英自治領の現在の意図ではない。

私はというと、英語を話すいかなる共同体の中にも、日本人移民の大量流入を許容するところはないと信じるし、もしそうだとしても、国際連盟創設の文書にそのような案を挿入することには、叶えることのできない日本人大衆の希望を掻き立て、実現しないにせよ新しい国の英語を話す人々に恐怖心を引き起こし、国際連盟に満足のいく解決不能な永続的論争という重荷を負わせるという三重の不利益を生じさせることになる。[20]（文中のカッコは原文のまま）

日本が各方面への移民を禁止され困っているという点、これはまさしく石井大使が前年七月六日にハウスと面談した折に強調した点であり、ハウスが石井との会話を軽んじていたわけでないことがわかる。この重要な局面で、結果はともかく、ハウスはイギリスの外相に日本の窮状を告げていたのである。ハウスの発言はそれだけに留まらなかった。有望な日本の移民先としてブラジルを挙げ、二人でブラジルのエピタシオ・ペソア大統領とそのことを話すことをバルフォアと合意している。そして、二人は実際にペソア大統領と話している。ただ、予想に反してペソアは否定的であった。彼は「我々は現在、自分たちで何とか管理できるだけのあらゆる人種問題を抱えている」と話し始め、日本人に対してはまだ制限は設けていないが、もし何人かでも来るようなら制限が設けられるだろうと述べ、来ない方が関係各国にとって良いだろうとまで述べている。[21]

その後、ハウスはミラーに日本案を踏まえて、修正案を作成するように指示した。ミラーは、ハウスとバルフォアの会話を踏まえてその日のうちに修正案を作成し、自らの意見を記した書簡を添えてハウスに提出している。日本代表がハウスに提出した案文については、受け入れ可能とした。ただ、その理由は、案文がなんら法的効果を持っていないからであり、そもそも法的効力を持たせないように書かれているからであった。実際に法的効力をもつような条文は受け入れ不可能であるだろうと、ミラーは日本代表がそのような案文を作成したことに理解を示している。

そこでミラーは自分なりの案文を作成してみている。それが以下のものである。

すべての人間は平等に創られているということを認識し、理事会が締約国の国民に影響しうるいかなる対外的苦情について考慮し、またそれについて公平とみなしうる勧告を成しうることを締約国は合意する。

自分で作成しておきながら、ミラーはこの条項が好きではないと認めている。理由は、この条項が、いかなる国もいかなる意味でも拘束せず、また、人種の問題に関する国際的認知度を高め、その結果については受け入れ可能でもなければ、受け入れるべきでもないと考えるからだと書いている。[22]

一一日にハウスは、ミラーに日本側が用意した別の案を見せている。これがどのような文面であったかは、記録が残っていない。それに対しミラーは、アメリカ代表団にとっては受け入れ可能なものという意見をもった。[23]

ベーカーの意見書

一方、セシルには日本の提案を受け入れることに否定的な意見書が、同じ一一日に届いていた。これはセシルの補佐官を務めるP・J・ノエル＝ベーカーが前日一〇日に記したものであった。ノエル＝ベーカーは単にセシルの補佐官というだけでなく、国際連盟問題の専門家で、その制度設計に大きな役割を果たしており、この後、ドラモンド初代国際連盟事務総長の補佐官を務めることになる人物である。

ノエル゠ベーカーは、日本代表によって提案されている条項の草案は、多くの点から批判可能であるとする。第一に、国際連盟はすべての加盟国が平等という原則には基づいておらず、この「平等」という言葉は規約に盛り込まない方がよいと述べる。第二に、この条項は日本に彼らが望む入国の権利を与えない一方で、不安を引き起こし、そのため採択されないだろうと主張する。その上で、次のように日本に指摘すべきとしている。すなわち、問題となるのは日本人が移民する権利だけではないとする。すなわち敗戦国のドイツ帝国やオーストリア゠ハンガリー帝国などから多くの人々がアメリカなどへの移民を希望するであろうし、イタリアやその他の連合国からも移民が向かうと思われる一方、アメリカなどの移民受け入れ国は厳しい移民制限法を検討中であるという事実がある。つまりアジア人だけに関わる問題ではないというのである。そして、あまりにデリケートな事項であって一委員会が挿入できるようなものではないと警告した[24]。

日本人は、一、二年後にこの問題を取り上げるのが賢明であり、なぜなら、その頃にはおそらく、移民問題のようなランクの落ちる問題を扱う機構ができており、それによって日本人の不満を除去できるであろうからというのであった。もし、そのような機構について日本人が関心があればそのように計らってもよいとまで書いている。ノエル゠ベーカーが国際連盟問題に関する専門知識を買われてパリ講和会議に参加していることを考えると、この意見書は重く受け止められたと思われる[25]。

一二日には珍田がハウスを往訪し、バルフォア、セシルと複数回会見したものの、イギリス側からは確定的な返事はもらえなかったと報告した。二人とも個人的には日本の立場を了解するものの、この問題は重大であって、そもそも国際連盟規約に「信教の自由及人種の対等」といった問題を規定するのは「妥当を欠く」との意見であったという。

しかも、セシルは、このような重要な案件は、「多数を以て決すべきものにあらず」とまで言い切ったのであった。この段階で、もし委員会の過半数が賛成したとしても受け入れられないという可能性をイギリス全権が示唆していたのである。この発言を日本全権は後日、重要な局面で想起せざるを得なくなる。[26]

その上で、珍田はハウスに対して、明日はウィルソンが受け入れ可能と言ったものよりも思い切った案を提案するつもりであると語った。その案文は以下の通りであった。

各国民均等ノ主義ハ国際連盟ノ基本的綱領ナルニ依リ締約国ハ成ルヘク速ニ連盟員タル国家ニ於ケル一切ノ外国人ニ対シ如何ナル点ニ付テモ均等公正ノ待遇ヲ与ヘ人種或ハ国籍如何ニ依リ法律上或ハ事実上何等差別ヲ設ケサルコトヲ約ス

これは二月九日にハウスがバルフォアに見せた案文と同じであった。ウィルソンの書き込みの「成ル可ク速ニ且ツ出来得ル限リ」の部分から「成ル可ク速ニ」を採用したものの、基本的にはより非妥協的な甲案であった。しかも、「外国人ニ対シ」の前に甲案にはなかった「一切ノ」を付け加え、より強めた表現になっている。ウィルソンの修正まで入った妥協的乙案からここまで強い甲案に戻した理由としては、珍田は、採択されないだろうが、日本国民への説明のためであると述べた。英自治領の強い反対から、翌日の通過は難しいと日本代表は考えていたと思われる。最後に珍田は、ハウスがこの問題に関心を持ってくれたことを謝し、日本政府と日本国民は、その「情け深い共感」を決して忘れないだろうと述べた。[27]

日本側の記録には、これらのハウスとの一連の会談に関しては、そのそれぞれの会談を追った詳細な記録はない。その大まかな流れについては、一三日の委員会終了後に松井大使の内田外務大臣宛報告にあるものが一番詳しい。それによれば、ハウスとの会談やイギリス代表団への働きかけに対する手ごたえなどから、牧野らは連盟規約に人種差別撤廃の文言を挿入するという「我希望ヲ貫徹スルコト困難ナルハ殆ト明瞭トナリタル」と結論付けた上で、「此際本問題ニ対スル我主張ヲ宣明スルコト将来ノ為極メテ緊要」と考え、一三日の委員会で提案するに至ったとある。[28]この電文は、一三日に提案がうまくいかなかった結末を知ったうえで事後に書かれたものであるため、全体の整合性を保つため、最初からその見込みであったと話を合わせている可能性もなくはないが、全体の流れと前日の修正から、一三日の提議前に成功を諦めていたと考えてよいだろう。

註

（1）澤田廉三『凱旋門広場』（角川書店、一九五〇年）、三〇頁

（2）近衛文麿『最後の御前会議／戦後欧米見聞録――近衛文麿手記集成』（中公文庫、二〇一五年）、一二四頁

（3）David Hunter Miller, *My diary at the Conference of Paris: with documents*（Privately printed, 1924）, vol. I, p. 59

（4）堀内謙介『堀内謙介回顧録――日本外交50年の裏面史』（サンケイ新聞社、一九七四年）、一七〜一八頁

（5）松井慶四郎『松井慶四郎自叙伝』（刊行社、一九八三年）。外務省政務局がまとめた記録には一月一三日から日本代表の出席が認められたのは「一月十日仏『ピション』外相の招請ニ基ク」とある。

（6）Arthur S. Link ed., *The Papers of Woodrow Wilson*（Princeton University Press, 1966-94）（以下*PWW*と略記）, vol. 54, pp. 206-208

（7）後藤外相宛石井大使電報、大正七年七月一六日、国際連盟人種差別撤廃（以下人種差別撤廃と略記）第一巻、外交史料館

（8）同右

（9）House diaries, 6 July 1918, Edward Mandell House Papers, Yale University

（10）『日本外交文書　巴里講和会議経過概要』、二〇〇頁

（11）Charles Seymour ed., *The Intimate Papers of Colonel House*, vol. 4（Houghton Mifflin Co., 1928）, pp. 320-321

（12）『日本外交文書　巴里講和会議経過概要』、二〇一頁

（13）Seymour ed. *The Intimate Papers of Colonel House*, vol. 4, p. 322

（14）*The Intimate Papers of Colonel House*, vol. 4, p. 323; Henry Wickham Steed, *Through thirty years: a personal narrative*, vol. 2（Heinemann, 1924）

（15）W. M. Hughes, *Policies and Potentates*（Sydney, 1950）, pp. 244-245

（16）W. J. Hudson, *Billy Hughes in Paris: the birth of Australian diplomacy*（Thomas Nelson［Australia］in association with the Australian Institute of International Affairs, 1978）, pp. 56-57

（17）*The Intimate Papers of Colonel House*, vol. 4, p324

（18）Miller, *My diary*, vol. V, p. 195

（19）Miller, *My diary*, vol. I, p. 116; Stephen Bonsal, *Unfinished Business*（New York, 1944）, pp. 32-33; House diaries, 9 Feb 1919

(20) Balfour papers quoted in Naoko Shimazu, *Japan, race and equality: the racial equality proposal of 1919* (Routledge, 1998), pp. 18-19; ハウスとバルフォアの会談を二月一〇日としているが、ミラーなどの記録から会談があったのは二月九日とする方が自然と考える。
(21) Bonsal, 32-33
(22) Miller, *My diary*, vol. I, p. 116, vol. V, p. 215
(23) Miller, *My diary*, vol. I, p. 118
(24) Japanese Claims in connection with the League of Nations, FO 608/240/5, The National Archives, UK
(25) 同右
(26)『日本外交文書』大正八年第三冊上巻、四四九～四五一頁
(27) *The Intimate Papers of Colonel House*, vol. 4, p. 324
(28) 内田外務大臣宛松井大使電報、大正八年二月一五日、人種差別撤廃　第一巻

第三章

国際連盟規約案修正の試み

二月一三日の国際連盟委員会

二月一三日、国際連盟委員会は、連盟規約起草の第一段階の最終日を迎えていた。午前一〇時半から午後一時前まで続いた午前部の議長を務めたウィルソンは、同時間帯に開かれる十人委員会に出席するため午後の部には出席せず、代わりにセシル卿が議長を務めることになっていた。午後の部の出席者は以下の通りであった。米国がハウス大佐、英国はセシルに加えてスマッツ、フランスがブルジョワとラルノード、イタリアがオルランドとシャロイヤ外相、日本が牧野と珍田、ベルギーからヘイマンス、ブラジルからペソア、中国から顧維鈞、ギリシャからヴェニゼロス、ポーランドからドモフスキ、ポルトガルからレイス、ルーマニアからディアマンディ、セルビアからヴェスニッチ、チェコスロバキアからクラマーシュであった。

午後の部は三時半から開始された。連盟規約第八条と第九条を審議するところから始まり、順調に進んだ。第二〇条が採択され、宗教に関する第二一条が俎上に載った。その条文は、「締約国ハ宗教上ノ信条或ハ信念ノ如何ヲ問ハス其ノ遂行ノ結果公共ノ平和及ヒ道徳ヲ乱ササル限リ自由ニ之ヲ実行スルコトヲ禁止シ又之ニ干渉スルコトナク且ツ何人ト雖モ締約国各自法権範囲内ニ於テ宗教上ノ信条又ハ信念ヲ遂行セルカ為其生命自由ノ安全或ハ幸福ノ追求ヲ妨ケサルコトヲ約ス」とあり、信教の自由を定めたものであった。これはもともとウィルソンが第一九条として提出したもので、その後変更を経て第二一条となっていたものである。規約中、信教の自由を定めた本条が、人種差別撤廃提案に最も近いと日本代表は考え、ここへの挿入を狙っていた。

国際連盟委員会の集合写真

まずハウス大佐が、本条文の採択をウィルソンが特に望んでいるとその重要性を強調する発言を行った。続いてフランスのラルノードが、条文の重要性を認めつつも、条文化することの困難さについて懸念を表明した。ポルトガルのレイス代表は、宗教紛争の多くが人種紛争であるとして、ロシアやポーランドでのユダヤ人迫害について言及した。

そこで牧野は発言を求め、これまで人種と宗教にまつわる怨恨が国際紛争や戦争の原因となったと話し始めた。そして同条は、宗教上の争いのもとを排除しようとするものであるが、人種もいつ何時危険な問題の原因となるかもしれず、それゆえ、「宗教及ヒ人種問題ハ合シテ共ニ処理シ得ル問題」と考えられるため、以下の人種に関する一文を第二一条の原案に付け足すことを望むと発言した。極めて全体の流れに沿った説得力のある発言であった。提出した文案はまさに前日、珍田がハウスに提出を予告したものであった。

各国民均等ノ主義ハ国際連盟ノ基本的綱領ナルニ依リ締約国ハ成ルヘク速ニ連盟員タル国家ニ於ケル一切ノ外国人ニ対シ如何ナル点ニ付テモ均等公正ノ待遇ヲ与ヘ人種或ハ国籍如何ニ依リ法律上或ハ事実上何等差別ヲ設ケサルコトヲ約ス(1)

続けて牧野は、このような条文が加えられれば、世界のより多くの人々から国際連盟事業が多くの共感を得ることができると主張した。そのうえで、この問題が容易に解決をみるようなものではないことは十分理解しており、「即時実現」を求めているのではないと強調している。これは、それぞれの国家が実現に向けて取り組み、よい方法を考え出してもらいたいという「案内状」であると述べた。

また、国際連盟は今後、戦争に対する保険の意味をもつため、場合によっては連盟に加盟するということは他国民を自国の軍で守る必要も出てくる、それゆえ、防衛に携わる国民と防衛対象となる国民とが「均等ノ立場」に置かれることを求めていると牧野は述べた。そして、第一次世界大戦においては、人種の別なく協力して戦い、自由を獲得したのであるから、「少クトモ国民間ニ均等ノ主義」を認めてもよいと信じると締めくくった。これは、インド人などの非白人がイギリスのために命をかけて戦ったことや、日本海軍が地中海へ軍艦を派遣したことなどを想起させる発言であった。

議長を務めるセシル卿はすかさず牧野の演説に否定的な発言を行った。すなわち、このテーマは過去において長く困難な議論の中で論じられてきたもので、英帝国内では深刻な問題を引き起こし、議論を呼ぶであろうと述べた。そして、牧野に着想を与えた考えの高貴さにもかかわらず、とりあえずはそれについての検討は延期するのが賢明だろうと、やんわりと日本案の廃案を迫った。

日本代表があらかじめ心を尽くして根回ししていたのは米英代表であったため、多くの参加者にとってこの牧野の提案は不意を衝くものであった。この時、中国代表の顧維鈞は、珍田が自分を「目視」したため、日本の提案に対する好意的反応を期待されたと感じた。顧は、中国の政府と人民は人種の問題に関心を寄せており、自分も牧野案の精神に賛成としつつも、自国政府からの指示を受けていないので態度を留保すると述べるに留まった。(2)

顧維鈞がここで態度を留保したのは、もちろん政府からこの問題に対する訓令がなかったためというのが主たる理由であったと思われる。ただ、顧がなにより求めていたのは山東問題における、米国による中国の立場に対する支持であった。そのため、人種問題には強く関心を寄せつつも、米国との関係に亀裂を入れたくはないと考え、それがこのような煮え切らない発言へと結びついた可能性もある。(3)この時、日中は山東問題を巡って激しく対立しており、日本の提案に容易に賛成できないという考えが働いたこともあったであろう。

他の国々も日本の提案に対して消極的な態度をとった。ギリシャ代表のヴェニゼロス首相は、極めてデリケートな問題であり、克服困難な難事に取り組む危険を冒すことになるから、この条項はやめておくのがよいとの意見を述べた。そのうえで将来、国際連盟によって牧野男爵が望むような結果は得られるであろうから、性急にこの問題を追求するよりは、今は触れないほうが良いだろうとセシルの意見に沿った見解を述べた。何人かの委員はこの意見に賛同した。

牧野の突然の提案と議論の展開に、ヴェニゼロスほどついていけない委員もあった。ポルトガル代表のレイスは、宗教についての議論が続いていると思い、それに沿った発言をしかけたうえで、周りの雰囲気を感じ取ったのか、「宗教についての条項を議論していると考えるが」と確かめるように発言した。それに対してセシルは「違う、我々は人種の自由についての条項を議論している」とぴしゃりと答えている。フランスのラルノードは、「ヴェニゼロス氏はその二点の間の関連性を示している」と述べて、ヴェニゼロスをフォローした(4)。

日本の修正案への積極的な賛成もないなか、セシルは議長として、委員会の意見を聴取したうえで、第二一条そのものを削除する旨告げた。この意見聴取についての詳しい記録は残っていない。ハウスの日記には、非公式な投票が行われ、全員一致で削除となったとあるので、牧野らもこの時は諦めたと思われる。ただ、この投票については公式の議事録には記載されていない。

最後にハウス大佐が、宗教の自由を定めたもとの第二一条自体がウィルソンの提案によるものであったため、欠席しているウィルソンが再度この条文を持ち出す権利を留保することを確認する発言をおこなった。牧野や珍田から日本の修正案について事前に相談を受けていたにもかかわらず、ハウスからの日本の修正案へのサポートは一切なかった。むしろ主要国イギリスの代表で議長であるセシルが強く反対の意向を表明する中、意見を述べないということでセシルの反対意見を支持する形となった。

この時、ハウスは微妙な立場にあった。日本の立場を理解はしつつも、悪化しつつある米国内の世論を考えた時、少しでも反感を買うような文言は排除しておくべきであった。ただ、今後のこともあり、主要五カ国の一角を担う日本の反感を買うのも望ましくなかった。牧野や珍田から事前に、人種平等案について相談を受けて協力の姿勢を示していたことを考えるとなおさらであった。ハウスとしては、ヒューズ豪首相の頑なな態度のせいでイギリス代表が人種平等提案に正面切って反対せざるを得なくなり、自分が表立って日本の提案に反対して日本の不興を買わずに済むような役回りになったことを、幸運と考えていたのである。ハウスはその日の日記に次のように記している。

我々［アメリカ代表団］が肩の荷を降ろし、それを英国に背負わせるには、手練手管が必要だが、ありがたいことに、それは成し遂げられた。これで日米関係はより良いものになるだろう。私の理解するところでは、英代表団は、オーストラリアのヒューズを除き、大統領、牧野、珍田、そして私が合意した案を喜んで受け入れたのだ。彼が足かせとなっていたのだ。(5)

セシル卿は、ウィルソンの権利を留保した上で、第二一条そのものを削除する旨告げ、議論は第二二条以降へと移っていった。そうして午後七時四五分にすべての条文の審議を終えて委員会は終了した。その日のうちに、ハウスから連絡を受けたウィルソンは第二一条の削除に同意し、翌日の総会に向けて連盟規約案の印刷が命じられた。牧野らの努力にもかかわらず、第二一条に付け加える形で、すなわち連盟規約の条文の中に人種差別撤廃の内容を盛り込むことは叶わなかったのである。

二月一四日

前日の国際連盟委員会で採択された連盟規約草案は、翌二月一四日の総会議に提出された。牧野は人種差別撤廃案を再提案する機会を残しておくべく発言の機会を待った。この日、第三回目となる総会議は、フランス主席全権のクレマンソーが議長を務め、ウィルソンの英語でのスピーチから始まった。ウィルソンは連盟規約原案を総会に提案するのは名誉であり、特権であると話し始めた。そして、原案は、国際連盟委員会参加一四カ国の全会一致で採択されたことを強調した。次にイギリス代表のセシルが、委員会のメンバーが精力を傾けた偉大なプロジェクトが公になることの喜びを述べた。三人目はイタリア代表のオルランドで、歴史的な偉業に協力できたことに対する満足を述べた。次はフランス代表のブルジョアで、フランスがこの大戦で一番苦しんだ国の一つであることを強調しつつ、共通の信念の下、連盟規約が作り上げられた喜びを語った。

ここで五大国の五番目として、日本の代表に発言の機会が巡ってきた。牧野はまず冒頭、提出された連盟規約案を、人類が創り出した文書の中で恐らく最も重要なものであるとして、その完成に対して各委員が述べた祝辞を繰り返すことの許しを乞うた。そして、この平和の維持にとって有効な道具を作り出すという仕事に人類は感謝するだろうし、それを成し遂げた指導者たちの

講和会議総会

名は歴史に刻まれるであろうと称えた。そしてその上で、規約案そのものについての議論は本日すべきでないのは理解しているので、これ以上は述べないとしつつも、後に規約について審議する折に、修正案を提出する権利を保持し、提出したときには、好意的かつ注意深い配慮を頂きたいと締めくくった。牧野は、人種差別撤廃提案を再度提出する用意があることをほのめかし、日本が諦めたわけではないことを示したのである。

この牧野の演説原稿には、具体的な修正案も含んだより長いものも用意されていたが、その部分は日の目を見ず、牧野は簡潔に発言を終えている。簡潔な牧野の発言を好意的に受け取った者もいた。ウィルソンの通訳を務めていたジャーナリストのスティーブン・ボンサルは、「牧野はこの敗北を彼一流の威厳をもって受け入れ、後にこの件を取りあげる権利を留保するに留めた」と書き残している。(6)

その後、イギリス、ギリシャ、中国の代表らが発言した。最後にオーストラリアのヒューズ首相が、いつから草案の審議に入るのか質問し、議長から列強による予備的研究の後との返事があり、そこで総会議は閉会した。およそ三時間半が経過していた。日本の提案した人種差別撤廃提案が組み入れられない形で国際連盟規約原案は承認されたのである。

ウィルソンの一時帰国

ウィルソンは、連盟規約の草案が完成するのを見届けると、翌朝アメリカへ向けてパリを出発した。二月一五日午前一〇時半にはブレストに到着し、往路と同様にジョージ・ワシントン号に乗り込んだ。ウィルソンの帰国日程が先にあり、それに合わせて連盟規約草案の完成が急がれたのであった。講和会議を中座しての大統領帰国の表向きの理由は、下院の閉会に立ち会うためとされていたが、実際は国際連盟への反対が米国内に増大しており、それに対応するためであった。国際連盟の実現は彼の夢であったが、いかに素晴らしい組織を作り上げたとしても、それにアメリカが加盟しないようなことになれば努力が水泡に帰してしまう。アメリカが国際連盟に加盟するには、国際連盟創設を含んだ第一次世界大戦の講和条約が米上院で批准されることが必要であった。合衆国憲法は条約の批准に上院の三分の二以上が必要と定めていた。その空模様が怪しくなってきたのである。ウィルソンは一時帰国してアメリカ国民を説得することで、条約の批准を確かなものにしようとした。

ただ、パリで多忙を極めてウィルソンは疲弊していた。そのため侍医は、航海中は休息をとるよう助言し、大統領は時折散歩のためにデッキに出る以外は主として客室で過ごしている。帰りの冬の大西洋は荒れていた。護衛の駆逐艦ニューメキシコが故障したり、乗組員が波にさらわれたりした。結局、駆逐艦ニューメキシコは護衛の任を解かれ、船団から離脱してアゾレス諸島へ向かっている。それを指示したのは、大統領に同行していたフランクリン・ルーズベルト海軍次官補であった。ただ、船に強いウィルソン自身は荒れた海から大きな影響を受けることはなかった。

二月二三日、ジョージ・ワシントン号はボストン港に入り、霧のため離れて投錨した。真夜中には最新の情報をもったウィルソンの秘書であるジョセフ・トゥマルティが乗船したが、もたらされた情報は、大統領が渡欧して以来の国内政治の複雑さを示すものであった。

二四日午前、ボストン市長やマサチューセッツ州知事らからなる歓迎委員会が大統領を迎えに来た。上陸したウィルソンは、大統領を歓迎する大観衆によって迎えられた。コプリープラザホテルでの昼食の後、演説会場のメカニクスホールへと向かった。

国際連盟については外交に関することであるから、上院外交委員会は公のコメントを差し控えて欲しいというウィルソン大統領の要請を尊重し、コメントすら控えていた同委員会の重鎮ヘンリー・カボット・ロッジにとって、ウィルソンが演説会を開くというのは大きな驚きであった。しかもその演説は、自らのパリでの仕事を称え、それに反対する者がいれば、それは利己主義者だと批判する極めて党派的なものであった。それ以上にまずかったのは、演説会に参加した人々にさっそく、連盟規約草案を紹介したことであった。その草案は、実際に条約を審議することになる上院議員たちですらまだ目にしたことのないものであった。特にボストンのあるマサチューセッツ州選出のロッジ上院議員にしてみれば、自分の選挙区において完全に顔をつぶされた形となった。これは今回の一時帰国における最初の寄港地ボストンでの出来事であり、その主目的が国内対応であることを考えると、あまりよい出だしとは言えなかった。

日本国内の反応

この間、日本国内では、人種差別撤廃に対する世論は高まる一方であった。ウィルソンの一四カ条の発表以降、日本国内では国際連盟が人種差別と結びつけて論じられていたのは先に述べたとおりであるが、年が明けるとその傾向はますます強まった。『東京朝日』は語気を強め、世界の平和を乱す原因は、「人種の不均等待遇若しくは排斥より生ずる国際的若しくは人種的軋轢」であるとして、強国の中でも非白人国である日本は、世界の六割二分を占める有色人のためにも人種平等を切に訴えなければならないと書いた(7)。

一月二四日、帝国議会でも人種差別撤廃問題が取り上げられた。国際法の専門家で大隈内閣では法制局長官も務め、東京帝大教授から貴族院議員に転じた高橋作衛《たかはしさくえ》が原首相に対して質問に立った。国際連盟に「人種ノ区別ヲ撤去セヨト言ウテモ効果ハ少イ」と認めつつも、このような「機会ニ於テ之ヲ言フコトハ極メテ適当ナコトデアルト思」うと自らの考えを述べたうえで、もし国際連盟に日本が加盟するならば、この点について十分考慮しているかどうか質問した。これに対し、原首相は返答を内田外相に任せた。内田は、重大問題であり、差別的待遇の世界的終息を希望する旨述べたうえで、国際連盟に関する提案が講和会議でまだ出ていないので、なにもいうことはないという返答であった。いきなり国際連盟創設並びに国際連盟委員会の創設が半ば決定事項として議題に上り、不意を衝かれた牧野の留保がウィルソンを不機嫌にしたのがパリ現地時間の一月二二日の午後であることを考えると内田の返答も仕方のないことだったと言えよう[8]。

一月末から二月初めにかけて、日本国内の世論は高まっていた。北米における日系移民差別を懸念して一九一四年に大隈重信を会頭として組織された日本移民協会は、二月二日に開かれた総会で、「日本国民に対する差別的待遇の撤廃を期す」と決議した。この決議をパリ講和会議に向けて出発する添田壽一副会頭を通じて、日本全権に渡すことを決めたが、間に合わないことを恐れ、牧野宛に同内容を打電することとした。

国内各紙も、日本が講和会議に参加するならば、人種平等が確保されなければならないと強く訴えるようになっていた。一月二九日付の『大阪毎日』は、「日本帝国委員の意見を発表すべき時機は愈々来れりといふべし。希はくは人種的偏見の排除に成功せんことを」と祈るような様子であった[9]。

翌日の『東京日日』も、これまで日本が「人種的差別待遇」によって欧米、特に米国や英植民地において「忍ぶべからざる屈辱」を受けてきたことを考えると、人種差別を撤廃しないで国際連盟に加われば、「白人の不法なる圧迫を被り、国際的発展向上の自由を得る能はざるに至るべし」と論じた。同日『東京朝日』は、人種平等を原則として謳いながら、それを実行に移さなければ、ウィルソンは「偽善者」であるとまで言い切り、その理由として、「人種平等は利害問題に非ずして、世界根本の問題なればなり」と結んでいる。(10)

このように、ウィルソンを偽善者とまで言い切って批判することができたのも、日本が主張しようという人種差別撤廃案を、一般的な人種平等案として理解していたからではないだろうか。すなわち、せっかく創設される国際団体において日本が差別されては具合が悪いという狭いものではなく、他の有色人種も含めた人種平等を唱えたものと考えたのであった。外務省が当初提案を考えた動機を離れて、世間では異なる理解で受け入れられていったのである。例えば、アジア主義的団体は、日本がアジアの盟主として立つためのものとして人種平等を捉えていた。そこにはある種の二重基準が用いられていることは明らかであった。そのため、吉野作造や石橋湛山などのように、日本政府が中国からの労働者の入国を制限し、また、本国人に対して台湾人や朝鮮人を差別的に扱っていたことを指摘する者もあった。彼らにとっては、ウィルソン大統領だけでなく、他のアジアに対して差別的態度をとりながらの人種平等提案を提出する日本政府も偽善的に見えたのである。(11)

人種差別撤廃期成同盟会

二月三日には、昨年暮れの伊東巳代治宛意見書にも名を連ねた佐藤鋼次郎や上泉《かみいずみ》徳弥《とくや》予備海軍中将ら軍関係者を始めとして、大木《おおき》遠吉《えんきち》貴族院議員、大竹貫一衆議院議員（憲政会）、中村啓次郎衆議院議員（政友会）など各主要政党からの参加者、黒龍会の葛生能久《くずうよしひさ》などが衆議院内の図書館に集まり、二日後に開催予定の人種問題に関する大会の準備委員会を開いた。当日討議するための宣言案や式次第を決定するとともに、宣言をパリ講和会議の議長であるクレマンソーに送付することが決められた。翌四日には、同準備委員会は築地精養軒において開かれ、前日決定した式次第などが報道関係者に披露されている。

二月五日には予定通り午後五時から、築地精養軒において人種差別撤廃期成同盟会第一回大会が開催された。これには、アジア解放を主張する国家主義団体や両院の国会議員、マスコミや学会関係者などが三〇〇人ほど超党派的に参加していた。元衆議院議長の杉田定一《すぎたていいち》が座長に推され、議事が進められた。そして、国際連盟創設には賛成するものの、「人種差別待遇ハ単ニ自由平等ノ大義ニ悖ルノミナラズ将来国際紛争ノ禍根ヲ貽ス」ものであるから、差別が残ったまま「百千ノ盟約ヲ重ヌト雖モ要スルニ沙上ノ楼閣」であると宣言し、「日本国民ハ講和会議ニ於テ従来国際間ニ行ハレタル人種的差別待遇ヲ撤廃セシムルコトヲ期ス」と決議がなされた。それらはポール・リシャールによって仏語訳され、当初の予定通り、パリのクレマンソー宛に打電されている。(12)

期成同盟会が開催されたこと、宣言が採択され決議がなされたこと、そして、それがクレマンソーに打電されたことなどは、すぐに東京の外務省からフランスの日本全権宛に、翌六日付で打電された。また、それらの宣言と決議は、同会実行委員を代表して佐藤鋼次郎、上泉徳弥、田鍋《たなべ》安之助《やすのすけ》、大久保高明、葛生能久らが外務省を訪問し、病気療養中の内田外相に代わって応対した幣原次官に直接手渡しし、全権に伝えるよう依頼しているが、そのことも追って全権に伝えられており、全権団は世論の圧力を大いに感じたはずである。また、佐藤らは、翌七日には議院内で原首相にも面会している。佐藤は『亜細亜時論』において、人種差別撤廃条項のない国際連盟規約は、日本人だけでなく、「世界の有色人種の不快とする所」として、白人の専横を「打破すべく、人種的の革命運動が勃発するやも知れない」と書いた。宣言と決議、そして打電されたフランス語の電文は、改めて二月一五日付で、東亜同文会常任幹事で有志団代表の田鍋安之助から小村欣一宛にも郵送されている(13)。

時を同じくして、在米日系人からもパリの日本全権に人種差別撤廃提案の採択を求める電文が、各地の総領事館を通じて届いていた。現実に日々、人種差別に苦しむ彼らにしてみれば、人種差別撤廃提案と日系移民排斥問題は直接関連しているとしか思えなかったのである。ニューヨーク在住の日系人は、「人種、肌の色、信条にかかわらず、すべての国民が平等な権利をもち、それを保障される」との一文を連盟規約に入れるよう求めた。そして、その理由として、人種平等という「この議論の余地のない事実の厳粛な宣言は、国際連盟の主たる目的である将来の紛争を防止すると考えるからである」と書かれていた。シアトルからは、国際連盟創設が戦争防止のためとされているが、「現存する人種差別と偏見がなくならなければ、完全で永続する平和の希望はほとんどない」という理解を示し、パリ講和会議がこの問題を解決することを求めることを決議した旨の電文が、パリの日本全権に送られていた(14)。

日本国内の新聞には、牧野ら全権を批判するものも多かった。『東京朝日』は社説で「憾らむらくは該規定［国際連盟規約］中不公正千万にして……人種的差別待遇撤廃を含まざるとを」と嘆き、その原因の一つとして日本全権の「努力不十分」を挙げ、今後の機会に実現させるよう努力することを希望するのみであるとした。『大阪朝日』は、国際連盟を「人類史上特筆に値するの企画」と認めつつも、「人種問題を除外」するようでは、大国の利己主義が露骨に表れているとした。『東京日日』は、国際連盟が、「人種的差別を存し、有色人種を以て劣等視し、之を待遇するに、他と異別して公然たる侮辱を加ふるが如き、断じて許すべからざる」と人種差別撤廃の正しいことを論じ、日本全権の提案した人種差別撤廃提案が否決された一因として牧野を批判して、「其声や低く其力や弱く、忽ち他の反対に会して、委員会の葬り去るところとなりし」と断じた。その上で、人種差別撤廃の要求が容れられなければ、「国際連盟の参加も亦大いに保留を要す」と結論付けた[15]。

日本政府の反応

二月一三日の国際連盟委員会で日本提案が否決されたことについては、日本政府はどのように反応したのであろうか。一三日の委員会の顚末が東京の外務省に報告されるのは、一四日の総会で連盟規約草案全体が認められ、牧野がこの件について後日再提案する権利を留保する発言をしたのを待ってからであった。そのため、一五日から五月雨式に外務省に向けて発信された。当初のハウスとの会談を始めとする一三日までに至る経緯を含めての報告であったので、電文自体がいきおい長文となり、一つの電文を四分割するなどせざるを得なかった。暗号化にも時間がかかり、結局、発信は一七日までかかっている。それらの電文は東京に順に届き、最後の電文を外務省が接受したのは一八日深夜であった。

外務省は連盟規約草案の完成がこれほど早まるとは想定しておらず、急遽、二月一九日午後五時から外交調査会が開催された。内田外相は病欠であった。冒頭、原首相は、「国際連盟規約案ノ成立ガ予想ヨリ一層早ク発表セラレタ」ためと、その急な開催の理由を述べた。次いで幣原外務次官が、連盟規約案第一一条までの修正についてようやく報告が来ており、その行方も詳しくはわかっておらず、まだ日に余裕もあると考えていたところ、急に全文が発表されて戸惑っているという事情を説明した。その上で、外交調査会に出席するため外務省を出る直前に「人種的差別問題」に関する牧野からの電文を目にしたとして、その朗読を行った(16)。

その電文は、ハウスとの交渉やイギリス全権との交渉の経緯に加えて、一三日当日の会議の模様を説明していた。すなわち、最終的に議長のセシルが、日本側が人種差別撤廃案の提案の挿入を求めた第二一条ごと削除することを提案し、削除に多数が賛成した経緯を描写していた。また、最後に「本案再提出ノ素地ヲ作リ置クコト必要」と考えて、「後日会議ニ提出スヘキ提案アルニ付好意ヲ以テ慎重考量セラレンコトヲ希望スル」と述べ置いたことが書かれていた。日本案の挿入は受け入れられなかったものの、後日の再提案の機会は認めさせたというのである(17)。

これに対して伊東巳代治が、長々と発言した。基本的には牧野の対応をことごとく非難するものであった。例えば、一月二二日の十人委員会において国際連盟創設に関して意見を求められたとき、牧野は訓令に従って留保を求めた。それを伊東は「拱《きょうしゅ》手沈黙シテ何等意見ヲ述ヘス終リニ臨ンテ漠然タル留保ヲ為シタル」と表現した。訓令に従っただけの牧野に対する評としてはあまりに厳しいものであった。また、ウィルソンが一四カ条を読んだうえで会議に参加しているのであるから、当然日本も賛成しているはずと考え発言したのに対し、牧野が言葉に窮したことを指して、「唖然トシテ答フル所ヲ知ラス」とするなど、明確な指示を本国から与えられていなかった牧野に何ら同情するところもなく、また、当初、国際連盟加盟賛成の牧野に対して、反対の意見を強く述べていた自分の姿勢を振り返ることもない、厳しい批判であった(18)。

また、見かねたロイド゠ジョージが、この問題を委員会で検討することには賛成であろうと出した助け舟に対して、牧野が「何等異存ナキノミナラス喜ンテ協力スヘシ」と述べたことに対しても、それは国際連盟案に賛成したのと同じであって、そのような牧野の発言は、「政府ヨリ垂示セラレタル方針ノ要旨ニハ一モ副《そ》フ所ナシ」とそれすら批判するのであった。そして、二月一三日の委員会に関しては、「人種的差別撤廃問題ニ付連盟規約第二十一条ニ一項ヲ追加セントノ提議アリタルノ外何等我全権委員ノ努力シタル言蹟アルヲ発見スル能《あた》ハサルヲ遺憾トス」とまで言い切った。あれだけ手を尽くして努力していた牧野らが、これを聞いたらどう思ったであろう。結局、この日の外交調査会は継続審議となって、わずか三日後に次回が開催されることになった(19)。

諦めるわけにはいかない

次の外交調査会は二月二二日午後三時から首相官邸において開催された。原首相とともに牧野の弁護をしたであろう内田外相は引き続き病気欠席であった。この日の外交調査会においても前回同様、伊東巳代治が長々と発言した。その中には、牧野について「訓令違反ト謂フテ可ナリ」

とまで言い切る場面もあった。それに対して原首相は、牧野を推した責任は自分にあると明言した上で、牧野の発言に気に入らない点が多少あっても、今さら追い詰めても仕方ないとかわした。そのうえで、問題のある点は修正を試みて、状況を改善するのがよいと提案した。結局、パリの全権に対して質疑案を出すことになり、伊東が起草することとなった。その中には次の通り、人種案に関するものも当然あった。

人種差別撤廃ノ事ハ国際連盟ヲ議スル場合ニ於テ我帝国ノ主張トシテハ至重至大ノ問題ニ属ス仮令講和ノ予備会議ニ於テ一旦否決ノ悲境ニ陥リタルモ我帝国前途ノ利害ニ顧ミ之ヲ放擲スルコト能ハス随テ今後我帝国ノ主張ヲ徹底スルノ手段ニ付憂慮ニ堪エサル事[20]

日本の将来を考えて、諦めてはならないというのである。この人種案に関する質疑を含む質疑案は、外交調査会の翌日二三日に伊東が起草し、他の出席委員が確認したのち、二四日に原首相に提出された。その後、外務省法律顧問のイギリス人が確認して再び原首相に戻し、二七日に首相と伊東が会談して、最終的に発信されたのは二七日となった。電文の内容は、文章の語尾等を微調整したのみで、基本的には案と同様であった。人種差別撤廃に関しては、「至重至大」であるから、二月一三日の委員会で頓挫をきたしたからといって、投げ出すことは不可との訓令が出された以上、パリの日本全権としては、いかに困難といえ諦めるわけにはいかなかった[21]。

続けて三月四日付で、外務省からは具体的なやり方についてまで指示が送られてきた。三月五日に全権が接受したこの東京からの電報は、先の日本全権の失敗は、イギリス代表が自治領の意向を配慮したためとの理解を示したうえで、日本の意図は、単に人種差別撤廃という主義を認めてもらいたいだけであり、それに抵触する国内法の修正を求めるものでないから、どのような文言や形式ならば受け入れ可能かをバルフォアなどイギリス全権に内々に聞くように指示するものであった。ここには、本質的なものではなく形式的な要求であれば、英側も受け入れてくれるであろうという甘い理解が見えている。もとより人種差別は社会全体に根差した英帝国全体に関わることであり、受け入れさせるのは容易ではなかった[22]。

石井駐米大使の活動

同じ頃日本政府は、一時帰国中のウィルソンへも働きかけるよう、ワシントンの石井駐米大使に指示している。三月三日発信の電文において、ウィルソンが再びパリに発つ前に面会するよう促している。面会した上で、これまでのハウスを通しての協力に謝した上で、日本政府が人種差別撤廃案をいかに重要視しているかを伝え、引き続きその提案を主張するつもりであるため、大統領としても援助を与えてほしい旨を伝えるようにという指示であった[23]。

この三月三日付の電報が至急電で発信されたことと、日本の方が時間が進んでいるというアメリカ東海岸との時差を考え併せても、ウィルソンの米国滞在が、二月二四日から三月四日までであったことを考えると、この指示は遅きに失していた。ウィルソン帰米の予定に関する情報が事前にはつかめていなかったとしても、せめてウィルソンが実際に二月半ばにパリを発った直後にこの指示を出していれば、少しは石井にも時間的余裕があったはずである。しかし、駐米日本大使館がこの電報を接受したのはウィルソンの再渡仏直前であった。

指示を受けて駐米日本大使館は急ぎメモランダムを作成した。この大統領宛のメモランダムの中身は東京からの訓電に指示のあった通りの内容であり、具体的には以下のようなものであった。まず、永続する世界平和へ大統領が果たした努力と、人種差別撤廃問題に関しての大統領とアメリカ代表団が、日本代表団に対して示した共感と支持に対する感謝を表明した。その上で、国際連盟の根本原理として、いかなる国においても人種の相異のために、差別的扱いを受けることがないという原則の確立がまずもって重要であると、日本国政府はみなしていると強調する。そして、人種平等原則が認められなければ、国民間や人種間の紛争は絶えず、それゆえ、国際連盟がスムーズに機能することが阻害されるだろうとして、人種差別撤廃提案の採択を求める努力を日本政府はやめることはないと述べ、それに対する大統領の支持を求めている。そして、最後に具体的文言についてはこだわらないとしている。(24)

このメモランダムを手にした石井が、国務省に連絡したのは三月四日の昼の一一時五〇分であった。ランシング長官はパリに出張中であり、留守を預かるフランク・ポーク次官もたまたま不在の中、石井の電話を受けたのはブレッキンリッジ・ロング第三国務次官補だった。ロングは、他の約束をキャンセルして石井を迎えた。石井が到着したのはちょうど正午であった。石井はロングに対して、大統領と直接会って手渡すように本国から指示を受けていると説明した。ロングは、大統領は連邦議会に居り、そこから直接ニューヨークに向かい渡仏するため会うことは叶わないと石井に告げた。ウィルソンが議会から駅に着いたのが午後一時五六分、列車は二時ちょうどにニューヨークへ向けて出発した。大統領は四時間以上かけてニューヨークに到着後、オペラハウスで演説し、そのままホボーケンの埠頭に待機していたジョージ・ワシントン号に乗り込んだのは夜半であった[25]。

結局、石井のメモランダムは、ポーク次官が国務省に戻ったのち、パリに向けて電送されただけに終わった。大統領の一時帰国というチャンスを利用して直接大統領にメモランダムを手交しようという日本政府の計画は、ウィルソンの再渡仏に間に合わなかったのである。

被差別民族の利用に関して

二月一三日の牧野の提案否決を受けて、日本のヨーロッパにおける在外公館は、提案通過を可能にするためのやり方を模索した。本多熊太郎スイス公使からは、ヨーロッパで抑圧を受けている諸民族に働きかけて宣伝活動を行うという提案が二月二八日に発せられた。三月五日からスイス公使館の所在地ベルンにおいて、国際連盟の設立を戦中から訴えてきた民間団体がちょうど国際会議を開催するので、その場を利用して宣伝活動を行うのはいかがかというのである。具体的には、ユダヤ人、ハンガリー人、ブルガリア人、トルコ人などが念頭におかれていた[26]。

それに対して牧野からの返答が、三月二日に松井を通して発せられている。それによると、他国に分散して居住しているユダヤ人はともかくとして、国を有している人々に働きかけるということは、他国に対して働きかけることになり、そのような宣伝活動は効果が少ないとした。また、同時に陰で日本がそのような活動をしていることが表に出るようなことがあった場合、日本にとって不利になると考えられるので、今回は見合わせたいとのことであった[27]。牧野としては目標貫徹に重要なのは、なにより米英の同意であり、中小国の一部に働きかけても、百害あって一利なしと考えたのであろう。

抑えに回る原首相

この頃日本国内では、人種差別撤廃案についての在野の盛り上がりに対して、原首相は抑えに回っている。例えば、三月五日の貴族院予算委員会において、江木千之の質問に対して、原総理は、「契約労働者ナド」は別としつつも、「日本ハ決シテ他ノ国ニ比シテ劣等ナル取扱ヒヲ受ケテハ居ラナイ、今日ハ講和会議ニ於テモ五大国ノ中間ニ這入ッテ、全ク同等ノ権利ヲ持ッテ、同等ノ待遇ヲ受ケテ居ルヤウナ次第」と答えている。つまり、五大国の一つである日本は人種を理由に差別待遇を受けることはないと答弁したのである[28]。

この原首相の答弁に対して、国際法の権威である高橋作衛は、すぐさま発言を求めた。高橋は、首相は日本人は差別的待遇を受けていないと言うが、「私ハ日本人ハ差別的待遇ヲ受ケテ居ルト思フ」と反論したのである。それだけでは飽き足らず、高橋は三月一五日付の『国際法外交雑誌』において、日本人に対する人種差別が世界で継続していることを詳述して原首相を批判した。そして、原首相の、日本人は差別待遇を受けるはずはないという答弁は、無知によるのか、あえてわざと「問題を流し去らんとする老獪手段」のどちらかであるとした。もちろん高橋としても原首相が実態を把握できていないと思っているわけはなく、実態を隠して政権運営を容易にしようとしていると批判したのである。

高橋は、この論考を通して、論理的に五大国になった日本の国民はもはや差別的待遇を受けていないだろうといった世間の誤解を正し、専門家として、日本が国際連盟に加盟したところで、日本人に対する各国の人種による差別的扱いはなくならないと冷静に指摘している。ところが、最後の部分になって、突然、正義と人道を考えて「猛進直往」すべきであって、「成効の如何を問わず」に人種差別撤廃を「絶叫」すべきであると結んでいる。対外硬派的な姿勢を、国際法の専門家である高橋までが見せたことは、いかにそれが広がっていたかを表しており、これがまさに原首相が抑えようとしていたものであった[29]。

原首相は、閣内においても強硬な意見を抑えに回っていた。三月一二日の閣議において、内田外相が、人種差別撤廃案について、米国議会においてもウィルソン反対派が力を得ていることもあるので、日本が強硬に主張すれば何とかなるのではないかと楽観的な意見を述べ、西園寺首席全権本人が本件をパリで持ち出すことを提案した。しかし、そもそもウィルソンが米国議会で守勢に立っていることは、日本からの移民の流入を国際連盟が可能にしかねないという懸念に由来していた。そのため、パリで日本の提案を認めた場合、さらにウィルソンの米国議会での立場は悪くなるわけであり、内田の意見は的外れなものであった。原首相は、これまでの経緯を再度調べたうえで継続審議として乗り切っている[30]。

中国国内の反応

そもそもパリ講和会議に向けて人種差別撤廃を訴えるという動きについて、日本人と同じ東洋人として、中国人はどのように考えていたのであろうか。日本代表が国際連盟委員会で提案する以前から、人種平等が講和会議において重視されるべき論点の一つとされていたことは注目に値する。

左翼系知識人の陳独秀《ちんどくしゅう》は、一九一八年一二月二九日付の『毎週評論』第二号に掲載された「欧戦後東洋民族之覚悟及要求」と題する文章の中でこの問題に触れている。陳独秀は、第一次世界大戦終結に際して、世界は大きな変動を遂げなければならないという理解の下、そのような時に特に東洋民族はどのような覚悟と要求をなすべきかという問題を立てる。その覚悟と要求として、「人類平等主義」を挙げ、欧米人にこれまでの人種差別を捨てさせなければならないとした。これは日本代表が国際連盟創設への同意を留保してウィルソンを不快にさせる前のことで、外交問題調査会のメンバーですらどのような形で人種差別撤廃案が講和会議に提出されるかわからず、ましてや日本のマスコミすらその辺のことはわかっていない段階であり、日本の人種案とは独立して書かれた文章であった(31)。

ただ、これに対する中国世論の反応は鈍かった。中国世論は、もっぱら山東問題に向けられており、人種差別撤廃問題にはほとんど関心が向けられていなかった。二月一三日の国際連盟委員会における日本の人種差別撤廃提案の提出と、その否決の様子が北京にも伝わると、中国の日本公使館は、人種的に利害を共有する中国国内の世論に訴えることで、パリで中国全権と共闘することを模索した。

二月一三日の国際連盟委員会の様子は、二月一九日に電報によって北京に伝わっている。それを受けて日系各紙は、その事実をさっそく報じている。例えば、日系の華字紙である『順天時報』は、「人種問題與平和会議」と題して、日本代表がパリ講和会議で初めて人種平等提案を行ったことを中国人に伝えようとした。日本と中国は同じ人種として利害をともにしており、この講和会議は白人による有色人への差別をなくす絶好の機会であるから、中国人もこの問題に注目すべきと訴えた。(32) 日本公使館としては、同じ黄色人として、白人列強による差別に苦しんできた中国人は、日本代表が、人種差別をなくそうという条文を国際連盟規約に盛り込もうとしていることを喜び、味方してくれると期待していたのである。

ところがその予想に反して、中国側の世論は冷淡であった。地元の華字紙には、二月一三日の模様を伝える電報を紹介すらしないものもあり、中には、山東問題で日本と争う上で重要なのは、米英の助力を得られるかどうかであるのに、そのような時に、人種問題のような米英の機嫌を損なうようなことをすべきではないと主張するものすらあった。小幡酉吉《おばたゆうきち》公使から内田外相宛の電文に添えられた付属書は、このような中国側の反応を「奇怪」と捉えており、中国世論の山東問題に対する捉え方と日本側の受け止め方にいかにずれがあったかがわかる。(33)

二月一三日のパリでの顛末を知ったうえで書かれた陳独秀の文章は、日本の人種差別撤廃への動きには賛同しつつも、日本への注意を忘れなかった。三月九日付の『毎週評論』第一二号に掲載された「人種差別待遇問題」という小論において、日本全権が人種平等提案を提出したことに敬服するとしている。ただ、それをすぐに撤回してしまったことには失望したとする。日本全権が撤回させられたという事情は伝わっていなかったようで、自ら撤回したかのように解して批判しているのである。そして、中国人として注意すべき点として、人種平等提案には賛成するが、日本に追随する形で日米の対立に巻き込まれてはならず、また、日本とは事情が違い移民問題を抱えていない点に注意しなければならないとする。そして、最後に黄色人種が白人に平等を要求する以上、黄色人同士は平等な関係でなければならないと主張した。他の黄色人には差別的な態度をとりつつ、人種平等を唱える日本に対する痛烈な批判であった(34)。

汎アフリカ会議

この頃、ニューヨークで日本代表の宿舎であったホテルを訪問した黒人グループとは別の黒人の一団が、講和会議における日本代表の人種差別撤廃提案に熱い眼差しを注いでいた。全米黒人地位向上協会（NAACP）の創設メンバーの一人であるW・E・B・デュボイスが主導してこの時期に同じパリで開催されていた汎アフリカ会議の参加者たちである。米英政府はこの会議を危険視し、参加者へのパスポート発給をしないなどの措置をとっていたが、フランス政府が会議の開催を認めたため、なんとか小規模ながら二月二〇日から実施に至ったのであった。ただ、多くの出席予定者が渡航できずにいた。そのため出席者の多くは、パリ在住者が多数を占めざるを得なかった。彼らは講和会議における日本の提案の動向に注目しており、人種平等と民族自決を重んじるように期待すると公にしていた[35]。

汎アフリカ会議への警戒措置の影響を受けたのが、パリ講和会議へ代表を派遣しようとしていた米国のアフリカ系団体であった。例えば、万国黒人地位向上協会（ＵＮＩＡ）は代表としてパリ講和会議へＡ・フィリップ・ランドルフとアイダ・Ｂ・ウェルズの派遣を決めたが、二人は渡航できず、実際にパリを訪れることができたのは二人に通訳として同行することになっていたハイチ国籍のエリエゼル・カデと、全米最古の黒人の解放を目指す人権団体、全米平等権利同盟の議長であり黒人紙『ボストン・ガーディアン』の編集者であったウィリアム・モンロー・トロッターの二人であった。トロッターは身分を隠し、料理人として船員用旅券を申請したため認められたのであった[36]。

カデは、三月七日にパリで牧野に面会することに成功している。カデの報告書によれば、牧野はカデの話を大いなる関心を持って聴くと、カデの運動は真剣に受け止められるべきであり、連帯しなければならないと述べたという。万国黒人地位向上協会の決議文を代わりに講和会議に提出してほしいという依頼に対しては、日本を代表して出席しているため、それは適切ではないと牧野に断られている。トロッターも日本代表との面会に成功したと記録されているが、その詳細は明らかになっていない[37]。

註

（1）『日本外交文書　巴里講和会議経過概要』、二〇三頁

(2) 川島真『中国近代外交の形成』(名古屋大学出版会、二〇〇四年)、二五三~二五四頁
(3) 同右
(4) Miller, *My diary*, vol. V, pp. 372-375
(5) House Diaries, 13 February 1919
(6) Stephen Bonsal, *Unfinished Business*, p. 57
(7)『東京朝日』大正七年一二月一〇日、大正八年一月一四日
(8) 貴族院議事速記録、大正八年一月二四日
(9)『大阪毎日』大正八年一月二九日
(10)『東京日日』大正八年一月三〇日、『東京朝日』大正八年一月三〇日
(11) 石橋湛山が『東洋経済新報』大正一〇年八月一三日に書いた次の言葉が象徴的である。「ヴェルサイユ会議に於て、我大使が提案した人種平等待遇問題の如き、わけもなく葬り去られた所以は是にある。我国は、自ら実行していぬことを主張し、他にだけ実行を迫ったのである。だから当の米国英国が反対しただけではない、支那からも、何処からも、真面目な後援を得なかった。若し此等の国から心からの後援を得たならば、彼の問題は、ああ無残に破れはしなかったであろうと信ずる。」
(12)『東京日日』大正八年二月六日
(13) 松井大使宛内田大臣電報、大正八年二月六日、一二日、人種差別撤廃 第一巻
(14) 松井大使宛矢田総領事電報、大正八年二月五日、日本全権宛沙港日本人会電報、大正八年二月七日、人種差別撤廃 第一巻
(15)『東京朝日』大正八年二月一九日、『大阪朝日』大正八年二月一九日、『東京日日』大正八年二月二二日
(16)『翠雨荘日記』、四〇二~四一二頁
(17) 同右
(18) 同右
(19) 同右
(20)『翠雨荘日記』、四一三~四二八頁
(21) 人種差別撤廃ニ関スル問題、大正一〇年九月二〇日、人種差別撤廃 第三巻

(22) 松井大使宛内田大臣電報、大正八年三月四日、人種差別撤廃　第一巻
(23) 『日本外交文書』大正八年第三冊上巻、四五四〜四五五頁
(24) *PWW*, vol. 55, pp. 436-437
(25) *PWW*, vol. 55, pp. 409-421
(26) 全権宛本多公使電報、大正八年二月二八日、人種差別撤廃　第一巻
(27) 内田外相宛松井大使電報、大正八年三月二日、人種差別撤廃　第一巻
(28) 貴族院予算委員会議事速記録第一二号、大正八年三月五日
(29) 高橋作衛「人種的差別に就て」『国際法外交雑誌』第一七巻第七号（一九一九年）、五五五〜五八二頁
(30) 『原敬日記』第六巻、大正八年三月一二日。この『原敬日記』の記述について、内田が人種差別撤廃案を推進することが逆効果となると警告したとしているが、案を推進することを主張したと読むほうが自然と考える。
(31) 李大釗、陳独秀『守常文集　独秀文存』民国叢書第一編九二（上海書店、一九八九年）、五八五〜五八八
(32) 『順天時報』一九一九年二月二〇日
(33) 『日本外交文書』大正八年第三冊上巻、四五七頁
(34) 『陳独秀文集1』（東洋文庫、二〇一六年）、一七〇〜一七一頁
(35) ポール・ゴードン・ローレン（大蔵雄之助訳）『国家と人種偏見』（ＴＢＳブリタニカ、一九九五年）、一二五頁
(36) 荒木圭子『マーカス・ガーヴィーと「想像の帝国」』、六〇〜六一頁
(37) Robert A. Hill ed., *The Marcus Garvey and Universal Negro Improvement Association Papers*, vol. I（Berkeley: University of Carifornia Press 1983）, p. 409

第四章

ウィルソンの心変わりと豪首相の抵抗

ついにヒューズと対面

二月二七日付の電文で、人種差別撤廃案については諦めることは不可との訓令を受けていたパリの日本代表は、追って三月四日付の電報では、バルフォアという具体的名前まで出されてイギリス全権に交渉するようにとの具体的指示まで受けていた。イギリスの反対の背後にオーストラリアのヒューズの存在があることは、パリの日本全権同様、東京の外務省も理解していた。ただ、外務省は、日本の本国と出先の上下関係との類推から、オーストラリアはしょせんイギリスの自治領であるため、イギリス本国の外務大臣らが命じれば従うだろう、という発想であった。そのため全権にバルフォア英外相の説得を命じたのであった[1]。

しかし、英本国と自治領との関係がそのような単純なものではないことをわかっていた牧野らは、ヒューズを説得しなければ事態は打開できないと理解しており、ヒューズに働きかける機会を待った。しかし、ヒューズはイギリスやベルギーに出張するなどパリにじっとしておらず、なかなか捕まえることができなかった。日本代表団は、東京からの指示通りバルフォアと会って直接人種問題について話すことも検討したが、やみくもに会談したところで相手は頑なになってしまうだけと考えて、まずは鍵となるヒューズと会える機会を待った[2]。

三月一四日、ついに牧野と珍田はヒューズと面談する機会を得た。その時の模様を日本側の記録は次のように伝えている。二人はヒューズを訪ね、日本案は平等の原則を述べているだけであって、法的拘束力を持たせて現行の法律を変えさせようという意図はまったくなく、また、移民問題のような実際の問題についても将来、両国当局が合意できるような形で解決すべきと考えているると説明した。それに対し、ヒューズは、人種差別撤廃は主義として異論はないが、実際問題としてはオーストラリアにはオーストラリアの国内事情があり、それを心配しないといけない立場に自分はあると理解を求めた。そして、日本の主義に対して異論はないが、提案を一字一句検討した上でないと返答できかねると即答を避けた。日本全権の二人は、日本国内の世論の厳しい旨を説明し、提案の形式についてはヒューズの意見をできるだけ参考にしたいので、包み隠さず意見交換するためにも、日本案を十分精査してほしいと述べ、再会を約束して別れている。(3)

その時の様子をヒューズも後に記している。概要はほぼ同じであるが、ニュアンスが多少異なっている。それによると、牧野は笑顔を浮かべて片膝をつき、卑屈な敬意とお世辞にまみれていたというのである。日本とオーストラリアは隣国であり、日本国民はオーストラリアの人々と友好関係を望んでおり、望んでいるのは平等の原則のみであると述べた上で牧野は、日本人が大挙してオーストラリアになだれ込むことはないと保証すると述べた。ヒューズは牧野の言葉をすべて最後まで聞いたうえで、その条項が規約に含まれることになっても、オーストラリアが自国の移民政策を決定する権利をいかなる意味でも侵すことなく、日本が承認を望むのは平等という原則のみであると条項内に明記するなら、その提案を検討すると述べた。それは牧野の受け入れられることではなかった。

ビリー・ヒューズ

ヒューズは、それが受け入れられないならば、委員会で日本案が廃案となるよう全力を尽くすし、委員会で採択されたならば、場外で闘い、葬り去るよう全力を尽くすまでと述べた。それに対して、牧野は悲しそうに首を振り、再び片膝をついて辞去したという。ヒューズ自身の記録では、「廃案まで全力を尽くす」とかなり勇ましい言辞を牧野にぶつけたとされている。ただ、この会談の後も牧野らはヒューズ説得の希望を失っていないことなどから、「即答を避けた」とする日本側の記録の方が実際に近いのではないかと思える。(4)

牧野と珍田に対し日本案の検討を約束したヒューズであったが、なにがなんでも日本案を潰すつもりでいたことは、この頃のヒューズの様子を観察したボンサルの記録からわかる。「彼［ヒューズ］は、朝となく昼となく夜となく、もし、人種平等が連盟規約の前文もしくはいかなる条文において認められるようなことになれば、自分と自分の部下たちは所持品一切合切とりまとめて立ち去ると、哀れなロイド＝ジョージに対してがなり立てている」とボンサルは日記に記している。会議自体をぶち壊しかねない見境のないヒューズの態度にはウィルソンも困り果て、いつも下品な言葉を使わない彼も、ヒューズは「有害なゲス野郎」と言ったという。(5)

ウィルソン変心の兆候

三月一四日の会談において、ヒューズに対して再度の面会を約したつもりの牧野らであったが、その後、いかに再び面談を求めようとも、ヒューズは旅行や病気を口実に日本全権との面会に応じようとはしなかった。ただ、この時点ではまだ牧野は希望を失っていたわけではなかった。二月一三日以前のウィルソンとハウスが肯定的であった状況に変化はないと考えていたからである。ウィルソンが、国際連盟案と講和条約をセットで同時に提出しようという考えを強く持っていることを新聞で知った牧野と珍田は、その報道を口実としてハウスに面談を求め、三月一八日に面会した。

牧野と珍田は、ハウスに対してまず、国際連盟案と講和条約を合体して提出するという件について質《ただ》した。それに対しハウスは、条約の遂行のために両者を合わせることが必要と答えた上で、連盟規約原案は字句などの微調整のみする予定と述べた。それを聞いた牧野らは、時間が残り少ないことを察して、彼らにとっての本題である人種差別撤廃提案に話を持って行った。

まず、牧野と珍田は、人種差別撤廃問題に対する日本の国内世論が厳しいことを説明した。ハウスはそれに対して、日本の世論が激しているのは残念なことであると述べた上で、日本が人種問題に対して冷静な態度をとるならば、いま成立しつつある国際連盟において日本が重要な位置を占めることになるのではないかと質した。人種問題についてごたごた言わずにおとなしくしていれば、常任理事国の一つとして十分すぎるくらい重要な地位を与えられようとしているのに、なぜ騒ぐのかと言わんばかりであった。

そこで、牧野と珍田は一番聞きたかった重要な質問をした。人種差別撤廃提案に対してウィルソンは引き続き肯定的であるかと尋ねたのである。この質問に対してハウスは、自分の知る限り変化はないはずと「軽ク答」えた。ハウスの以前とは異なる返答のトーンに二人は違和感を持った。ウィルソンの考えに変化があったのではないかと疑念を抱いたのである。

ウィルソン大統領が、二月一四日の総会出席の翌日、急ぎブレストから出発して米国に一時帰国し、三月一四日に再びパリに到着するまでパリに不在であったことは周知の事実であった。また、大統領はこの一時帰国中、国際連盟反対の米国内の様々な圧力にさらされていたことは報道によって伝わっていた。なかでも共和党の巨頭ロッジ上院議員による、ウィルソン帰国中の二月二八日の米上院における国際連盟批判の長演説は、大きく報じられていた。ロッジは、批判の大きな理由の一つとして、移民や帰化の問題に他国が介入するきっかけとなるような組織には加盟すべきではないと強調していた。なかでも演説中の「あなたがたは、誰が合衆国へと入国し、この共和国の市民となるかを決める権限を他国民に与える用意はできているのですか」という一節は、アメリカ人の不安を掻き立てるのに十分であった(6)。

ロッジは加えて、三月四日には、講和会議に提案されている現在の形での国際連盟規約案を合衆国は受け入れるべきではないという決議文を含んだ決議を上院に提出している。しかもこの決議文は、趣旨に賛同する三九人の上院議員の名前を伴っていた。条約の批准には上院の三分の二以上の同意が必要であったが、三九人という数は、批准を否決するのに必要な上院の三分の一である三二人をゆうに上回っていた(7)。

石井大使の演説

一時帰国中のウィルソンに直接メモランダムを渡し損ねた石井大使は、演説などの広報活動を行うことで起死回生を図った。三月一四日にまず、マンハッタンのど真ん中のアスターホテルにおいて開催されたニューヨークのジャパンソサエティの年次夕食会で演説を行ったのである。ただ、これも狙った効果は得られなかった。石井の演説自体は米国世論に気を遣った穏当なものであった。日本政府は米国への移民を大幅に制限する紳士協定の適用をやめるつもりはなく、日本はパリでの人種差別撤廃提案をもって、米国内の移民問題を有利にはかろうとするものではないと強調した。ただ、人種差別は世界平和の妨げとなるから、新しい国際機関を設立するにあたって、人種差別撤廃を規約に盛り込むことを提案しただけであるとした。

これを受けた米国東海岸の報道は比較的穏当なもので、日本政府が国際連盟における人種差別撤廃を対米移民問題に利用する意思はなく、紳士協定も継続するつもりと述べたことも伝えている。一方、日系移民問題を抱える西海岸の論調は異なっていた。『ロサンゼルス・タイムズ』は、一面で「日本は規約を破棄するかもしれない」、「石井の演説には脅しが見られた」などと題して、連盟規約に人種差別撤廃条項が盛り込まれなければ、日本政府は連盟に参加しないと石井が主張したと報じた。西海岸やロッキー山脈地区選出議員を中心に一部の連邦議会議員が、石井の演説を危険視して騒ぎ立てたことも西海岸の各紙を刺激した。オレゴン州選出のジョージ・E・チェンバレン上院議員は、純然たる国内問題である人種差別を日本は国際問題にしようとしており、石井のいう条項が連盟規約に盛り込まれれば、東洋人移民の制限を緩めなければならず、それはすなわち「西洋の破滅」を意味すると論じた[8]。

思いがけないこれらの米国内での反応に対してパリの日本代表団は、慌てて日本政府にそのような意図はないと否定したし、また親日米人も石井を擁護する発言をしたが、それらはごく一部の東部紙に小さく報道されるだけであった。石井はなんとか挽回しようと、中西部の有力紙の記者のインタビューに応じた。記者の「人種差別問題に関する今回の日本の真意」や「日本が講和会議で求めていること」について質問され、石井は自分のニューヨークの演説が一部の上院議員に「誤解」されていると述べた。その上で石井は、日本は国際連盟に賛成であり、日本が求めているのは「感情的」なものであると繰り返した。ただ、石井の演説を「誤解」した議員の中には、アメリカの国内管轄権が侵害されるかもしれないという懸念から、国際連盟に必ずしも賛同していない議員も多く含まれており、また、日本が人種問題で「感情的」なものを求めているという表現もわかりづらいものであった(9)。

結局、事態を改善させようという外務省からの訓電の下、石井大使によってなされた広報活動は、日系移民問題とパリ講和会議をアメリカ世論の中で結びつけ、それに目を向けさせることになってしまい、かえって火に油を注ぐ結果となった。

西海岸の排日派の活動はそれだけでは終わらなかった。その代表格であるカリフォルニア州選出上院議員ジェームズ・フィーランは、二度にわたってパリの米代表団に電報を送り、日本の人種差別撤廃提案を受け付けないよう圧力をかけた。一通目は、移民に関する問題は純然たる国内問題であると指摘した。排日派が警戒したのは、日本が人種差別撤廃を主張する国際機関にアメリカが加盟することで、日系移民を巡る問題が日本に有利に展開するということであった。二通目の電報では、「アメリカにおいて東洋人が白人と対等になるような抜け穴には、西部の上院議員やその他の議員は反対すると考えてもらいたい」と書いた。念願の国際連盟の設立を含んだ講和条約の批准に、上院の票が必要なウィルソンは、これらの電文を無視するわけにはいかなかったはずである。[10]

日本の提案に危機感を抱いたのは、国際連盟に否定的な人々ばかりではなかった。基本的には連盟に共鳴している人々のなかにもそれは見られた。タフト元大統領は、三月一八日付でウィルソンに電報を送り、国内的な政策から生じた紛争と認められたものに対しては、国際連盟は解決を勧告しないとする内容の条項を第一五条に付加するように進言した。タフトがこのような進言をすることになった動機の一つは、日本の人種差別撤廃案の提出であった。また、国際連盟の雛形の策定に重要な役割を果たした英国の歴史家アルフレッド・ジマーンも、人種問題は法律家が一刀両断に解決できる種類の問題ではなく、双方の政治的手腕によってのみ解決されなければならない問題と考えていた。それゆえ、「厳格な原則」に至ろうとするのではなく、妥協や話し合いによって解決されるべきとしていた。[11]

東京からの催促

牧野らの働きぶりを知ってか知らずか、外務省からは内田大臣名で、代表団を責付《せっつ》く電文が連日届いていた。三月一五日発の電文では、人種差別撤廃期成同盟会の動きを伝えている。それによると彼らは、内閣打倒や国際連盟脱退まで論じているということであった。その会合が国会内で行われたことも書かれており、無視できない存在となって外務省も苦慮していたことが伝わってくる。二三日には大会が開かれる予定であることも書かれていた。[12]

人種差別期成同盟会の動きを伝える電文が発せられた翌日の一六日には、外務省から具体的に人種差別撤廃提案に関して、「我目的達成の為尽力方希望の件」という電文まで発せられている。その電文は、まず、議会説得のためのウィルソンの先の一時帰国は不首尾に終わり、連盟案の米国議会通過は難しいとの理解を示す。その上で、そのままで議会通過が難しいなら、修正が行われるだろうから、その時に日本案を盛り込む機会が訪れる可能性があるというのである。その時、以前日本案に同意してくれたことを持ち出して、助けを求めるように指示していた(13)。

英自治領が反対している問題についても、自治領でなく英本国と「直接交渉」することで打開を図るようにとの指示であった。いまだに英本国の指示に自治領が従うであろうという考えを変えていないことがわかる。この英国との交渉に関しても、以前好意的であったアメリカ側の助力を求めよというのであった。しかも、電文末尾には、日本全権の働きぶりについては、パリの特派員電によって日本の新聞でも報じられていると書く念の入れようであった。

日々最善を尽くしている牧野らは、改めて「尽力」せよというこのような電文を読んでどう思ったであろうか。本省と出先の温度差が大きかったことが感じられる。おそらくそれ以上に衝撃的だったのは、米国議会が連盟案に厳しいことを理解した上で、それがゆえに連盟案が修正を迫られた場合に、それを好機としてそこに日本案を盛り込むようにという提案に表れたその楽観性であろう。米国議会が難色を示した上での修正ということになれば、焦点は内政干渉的な部分を削ることであり、移民問題に国際連盟が介入する可能性を生じさせる人種平等にかかわる文言などは、もし存在していれば削られることはあれ、決して挿入されるようなものではなく、最も忌避されるものであると考えるのが妥当であった。そのことを日本政府がまったく理解していないことが表れている指示であった。それも当初、ウィルソンとハウスが日本案に好意的だったという一点にすがっての指示であった。イギリスへの働きかけにしても、英外務省を説得すればヒューズがおとなしくなるという前提に立っていた。

この電文が届いたのは、パリの日本全権団が、ウィルソンの「変心」に落胆していた頃である。当時、パリから東京宛の電報が発せられてから解読されて外務省関係者が目にするまでに大体四日から六日かかることが多く、逆に東京からパリまでは二日から三日かかっているケースが多い。牧野らは、この東京からの「尽力」を求める電文を、ちょうど、ハウスとの面談を終えた頃に目にしたはずである。

三月二〇日の請訓

牧野と珍田にとって、ウィルソンの帰国中の経緯を考え合わせると、ハウスのこの他人事のような態度の変化は深刻に受け止めざるを得なかった。イギリス代表の中にも人種案に対して根強い反対があることを聞き及んだ日本全権は、弱気にならざるを得なかった。三月一八日のハウスとの会談について本国に報告する三月二〇日付の電文で、パリの日本全権は、人種差別撤廃案を含めて「極力其貫徹ニ」努めるものの、それが成功する見込みは「彌々《いよいよ》益々《ますます》薄弱」になってきていると説明した。そしてその電文の末尾において、「最悪ノ場合即チ我提議不成効ニ終リタル場合」、つまり、連盟規約そのものに日本側の提案を組み込む試みが不成功に終わった場合の対応

について東京に指示を仰がざるを得なかったのである。(14)

前文の一部として

三月二〇日に東京に向けて悲観的な請訓電を発する一方、牧野らはなんとかヒューズを説得できないものかと働きかけを継続していた。しかし、幾度にもわたって面会を求めるものの、それに対してヒューズ首相が「旅行」や「病気」といった様々な言い訳でもって日本代表との面談を避ける状況は続いていた。それは、そのままの案文ではヒューズの同意を得られないことを示していたため、牧野らは案文を以下のように修正した。第何条というように具体的番号が入っていないのは、審議途中であり、最終的に何条になるのかが不明なためである。

第……条　国民平等ハ国際連盟ノ根本主義ナルヲ以テ締約国ハ他ノ国際連盟加入国民ニ対シ総テ平等且公正ノ待遇ヲ付与スルノ主義ヲ是認スルコトヲ約ス(15)

この修正案は、平等を約束するというこれまでの案文から、平等にする「主義」を認めるというより抽象性を増したものであった。言い訳によって会ってももらえない現状に、案文を大きく変えなければヒューズの同意は得られないとの考えから案出されたものである。ここにはもはや「人種」の文字はなかった。牧野らは、この修正案を携えて、オーストラリア代表団の一人ロバート・ガラン豪州検事総長を二一日に往訪した。この日はヒューズは旅行中とのことであった。

牧野はガランに修正案について説明して、案をヒューズに伝えてくれるよう依頼した。

また、同じ二一日、牧野と珍田は、ハウスを訪問し、先の修正案を見せ、意見を求めた。ハウスは、「平等」の文字を削除し、これを連盟規約中の独立条項でなく前文の一部とするのであれば、同意すると述べた。ただ、同時にイギリスの同意が前提との見方も示した。ここから、二月一三日のように条文としてではなく、前文に組み込むという案が模索されることになる[16]。

三月二二日には、前日にガランに託した修正案について、同意できないという返答がヒューズから日本代表団にもたらされた。中身はより抽象的になっており、ハウスからもお墨付きを得ていた日本代表は期待するところもあったが、ヒューズからの返答はにべもないものであった。牧野らは、情勢の困難さを鑑みて、修正案をより簡潔な、

国際連盟加入国民ハ総テ平等ナルノ主義ヲ是認シ[17]

という形に修正した。そして、それを前文に挿入するということを前提にハウスに示し、ウィルソンに見せるように依頼した。日本側の記録には、大統領からの同意が得られたとあるが、この日のハウスの日記には、牧野らとの会見については一切記されていない。このことから、重きが置かれていなかったと想像される[18]。

セシルに斡旋依頼

米側の同意は得られたものの、ハウスが英国全権の賛同を前提としたため、イギリスの賛成を得なければならない牧野と珍田は、さっそく二三日にセシルを訪ね、新しい日本の修正案について同意を求めた。セシルは個人的には賛成するとしたものの、この問題はつまるところオーストラリアの問題であって、自分からは確約できないと述べた。そして、英国代表団のほかのメンバーとも話し合い、なるべく合意を得られるようにすると述べ、翌日開催予定の国際連盟委員会までには日本代表と話し合いの場を持つことをセシルは約束して、牧野らは辞去している。

翌二四日の国際連盟委員会は午後八時半からであった。セシルは日本人との約束を守り、夕食を短めに切り上げて、委員会が開かれるクリヨンホテルに向かい、開催前に牧野らと人種差別撤廃案について話す時間を持っている。セシルは、ヒューズはとにかく反対なので、この問題で何らかの打開を図りたいなら、ヒューズと会って妥協を探るしかないと告げた。その言葉を受けて、牧野らはヒューズと面談する仲介をセシルに依頼した(19)。

英自治領首脳たちとの会合

二五日、セシルの斡旋のもと、牧野、珍田両全権は、英自治領首脳たちと直接会って話し合いをする場を持つことができた。それはカナダ首相ボーデンの滞在先で午後三時から行われた。参加したのは、日本側は牧野と珍田の二人、イギリス側は、カナダ、オーストラリア、ニュージーランド、ニューファウンドランドの各首相に加えて、スマッツとセシルであった。

まず日本側は、ハウスの合意を得た「国際連盟加入国民ハ総テ平等ナルノ主義ヲ是認シ」という案に基づいて、日本の提案は主義を表明するだけであって移民問題とは直接関係ない旨説明した。加えて日本国内の世論の激しさを紹介し、同意を求めた。牧野らが挙げた国内世論の盛り上がりという理由は、はったりではなかった。人種案が進捗しないことに痺れを切らした日本国内では、二日前の二三日に人種差別撤廃期成会の第二回大会が開かれていたのである。そこでは、日本の人種案が入れられない国際連盟に加盟すべきでないとの発言がなされた。内田良平も演壇に立ち、「日本は何処〳〵までも人種的差別を撤廃させることを迫つて、若し聴かずんば国際連盟に這入らない決心をすべきものである」と述べた。そして、最終的にこの期成会で、「日本国民は人種的差別撤廃を基礎とせざる国際連盟に反対す」との決議がなされていたのである。前回同様、閉会後、実行員らは二五日に原首相を訪問し、決議文を手渡している[20]。

それに対して、英自治領の首相たちからは、日本の言いたいことはわかるとしつつも、この提案が通過すると、日本人だけでなく、中国人やインド人といった他の有色人にも適用されるので難しく、それゆえ「平等」の文字を改めなければ同意できないと説明があった。これに対して、日本代表から「平等」という文字は、国内世論からするに、この提案の「骨髄」であるから削除は無理であると譲らなかった。

それを受けて、カナダのボーデン首相は「各国家間の平等及び其の国民に対する公平待遇の主義を是認し」という案文を考え出し、全体としてそれに同意することに傾きかけた。しかし、ヒ

ロバート・ボーデン

ュ一ズ首相だけは、オーストラリア人は一〇〇人中九五人が排斥に賛成であろうとし、そのような世論を前に、とにかく反対として一人頑として譲らなかった。他の首相らが妥協するように促したものの、自分は自分の道を行くとして途中で退席してしまった。英自治領としては同一歩調をとる必要から、ヒューズ説得が先決として、日本代表にさらなる時間を求めた。日本代表としてはそう言われてはいかんともしがたく、二時間に及んだ会合はそこで散会となった。ヒューズが頑なな態度を崩さないのは、近々行われるオーストラリア総選挙を意識してのことであろうと当惑する日本代表に説明する者もあった。ニュージーランドのマッセー首相も、ヒューズと同じ状況に置かれているので、ヒューズと同一歩調をとらざるを得ないと観察した日本代表は、いよいよヒューズにかかっているとの念を強く持った。当初それほど悲観的ではなかったセシルも、この日の日記にはこの会合の結果について一言「彼らはうまくいかなかった」と記している[21]。

日本全権を苛立たせるヒューズの態度は、オーストラリアの世論を意識してのことであったが、すべてのオーストラリア人がそのようなアプローチに賛同していたわけではなかった。オーストラリア海軍情報部のエドモンド・ピエス少佐は、ヒューズ首相のやり方を危機感をもってみていた。彼によれば、ヒューズは日本人のような誇り高い人々が必ずしゃくにさわるようなやり方で日豪の国民の違いを強調することを選んでおり、日豪関係の改善は彼が発言した二、三の文章で破壊されてしまったのであった。ピエス少佐は、ヒューズの発言が日本国内で国粋主義者たちの影響力を強め、オーストラリアに対する日本の反感を強めていると内部文書で指摘している。(22)

ルート元国務長官の助言

牧野と珍田が英自治領首相たちを相手に奮闘していた頃、頼みのハウス大佐は、日本の人種に関する案文を連盟規約前文に挿入することに賛同しないさらなる理由を手にしていた。ハウスは数週間前に助言を求めて、セオドア・ルーズベルト政権の国務長官で連邦上院議員も務めたエリフ・ルートに牧野の提案を送っていた。ルートは国際法に詳しく、一九一二年にはノーベル平和賞を受賞するなど尊敬されたニューヨークの法律家で、多くの有力者をクライアントに持ち、カーネギー財団の長を務めるなど公職を辞した後も影響力があった。届いたルートからの返信は、日本の提案の挿入に強く反対するものだった。

それ［人種差別撤廃提案］を入れるのは駄目だ。厄介なことになる。いずれにせよ、なかなかはかどらない仕事を抱える事になっている。しかし、人種条項があった日には、上院でにっちもさっちもいかなくなる。そして国民［……］少なくとも太平洋岸では、その陰に無制限の黄色い移民のための計画が隠されていると思われるだろう。(23)

ルートは、ウィルソンとは異なる共和党の所属であった。アジア系移民に対する危機感、もしくは住民の危機感に関する理解は超党派的に共有されていたのである。

この頃、ハウスを訪問したポーランド代表のロマン・ドモフスキが、日本の提案に否定的な見解を開陳している。ドモフスキは、国際連盟規約のどの条項にも人種に関する記載はないのだから、前文にだけそれを書くのは場違いで紛らわしいと述べた。つまり、目次に書いてあって本文に書いてないようなものだから、批判を招きかねず、いっそのことすべて削除するのがよいと述べたのである。この発言に対してハウスは喜んでいるようだったと、スタッフの一人は記録している。ほとんど毎日のように助けを求めて訪れる日本代表に、ハウスは、でき得る限りの慰めの言葉を与えていた。大国の一つとして会議に参加しているのだから、人種平等条項はなくてもよいではないかといった具合である。人種差別撤廃提案が採択されると自国にとっては都合が悪いと判断しつつも、日本側からの相談を受けており、日米関係を悪化させたくないために、自ら正面切って日本代表に反対するのは都合が悪いハウスにとっては、他国が反対してくれるのは望ましかったのである。(24)

ヒューズは制御不能

首相たちとの会合の翌日である三月二六日、牧野らはスマッツを訪ねた。まず、昨日ボーデン首相が策した妥協案「各国家間の平等及び其の国民に対する公平待遇の主義を是認し」のうち、「国家」とある部分を「国民」と修正して受け入れやすくすることに異存はない旨、スマッツに説明した。そして、英国本国の首相によってヒューズの意見を抑えることができる可能性があるのではないかとの考えから、ロイド＝ジョージの支持を求めるというのはいかがかとスマッツの意見を求めた。それに対してスマッツは、ヒューズはイギリス本国とは関係なく委員に選ばれているため、本国の首相といえどもその自由を妨げたりできるものではないと説明した。そのうえで、スマッツはヒューズの人柄について述べた。スマッツによればヒューズは、もともと度量が狭く、世界情勢の全体の成り行きを考えるような人ではないとのことであった。そして強情で人に合わせない性格であるから、深く考えずになんとなく動かそうとしても、かえって反発するだろうと述べた。牧野らは仕方なく、スマッツとマッセーに依頼して待つしかなかった。

二七日には、牧野と珍田は、午後にハウスを訪問した。ハウスには沢山の来客があったがなんとか面会することができた。牧野らは、ボーデンによる修正案も含めて、二五日の会合について説明した。ハウスは、修正案については特に精査することもなく問題なしとし、むしろヒューズについて、言動に問題ありとした。そして、ヒューズはしばしばウィルソン大統領と衝突してきた過去があるが、今回の日本への執拗な反対も大統領への意趣返しかもしれないと述べた。この日の日記に、ハウスは次のように記している。

彼ら［牧野と珍田］はオーストラリアのヒューズにとても苦労している。彼は日本の希望を満足させるいかなるものにも決して同意しないだろう。我々の委員会が何か通しでもすれば、それを総会で取り上げ大騒ぎしてやる、そうすれば自治領とアメリカ全体を通して大騒ぎを引き起こすだろうと脅している。[25]

ヒューズの積極的動き

ヒューズは日本全権を避けて逃げ回っているだけではなかった。日本案をつぶすために自ら積極的な動きにも出ていたのである。二七日、AP通信の記者を呼んで、いかに穏健な案であっても、日本の人種平等提案には一貫して反対であると敢えて語ったのだった。パリでのアメリカの通信社の記者に対するこの発言は、パリ市民に向けたものではなかった。もちろん祖国オーストラリアの人々に対するという側面はあったが、主として遠く離れた米国カリフォルニアの住民に向けられたものであった。日系移民問題を抱えるカリフォルニアの住民に、パリで日本代表が採択を求めている人種差別撤廃提案が、移民を白人国に送り込むための日本の策であり、他人ごとではないと訴えるのが目的であった。ウィルソンは、国際連盟創設を含む条約の批准のために連邦上院議員の票を必要としており、カリフォルニアの民意を無視するわけにはいかないということをわかっていたのである。ヒューズは次のように鼓舞した。

この不吉で邪悪な条項に対して抗議するために忙しくするよう言うのだ。国を奮い立たせ、撤回するよう懇願し、要求するメッセージで大統領を圧倒せよ。火と殺戮の電報を打て［……］やるべきことはわかっているはずだ。[26]

このヒューズの策は見事にあたった。翌二八日付のカリフォルニア州内の主要各紙は、こぞってこの発言を大きく報じた。『ロサンゼルス・タイムズ』は、「日本に屈するような連盟などない、オーストラリアの挑戦」と題して、ヒューズのアメリカ人記者に対するパリでの発言を伝えるAP電を掲載した。

ヒューズ氏は語った。「オーストラリアは、この提案を受け入れることはできません〔……〕この修正案を主張する人々から、原則の単なる承認以上のことは望んでいないと聞かされています。行動は何ら考えていないと彼らは言う。このように請け合ってもらっても、それでオーストラリアが満足するとは思いません〔……〕オーストラリアの人々は痛感していると私は感じますし、カリフォルニアの人々も同様だと想像します。私はアメリカの感情を熟知していているふりをするつもりはありません。しかし、いろいろ見てきて、太平洋岸の人々は、この修正案にオーストラリアの市民同様に強く反対するだろうと確信するのです〔……〕提案されているような宣言を含んだ規約にオーストラリアが署名することは決してありません〔……〕修正案は、どのように書かれていようと、受け入れられません。なぜなら、それはオーストラリアの存在と理想に不可欠な政策の根幹を覆すものだからであり、決して合意できません。(27)

このAP電が伝えたヒューズの発言は、彼の狙い通り『サンフランシスコ・クロニクル』や

『サンフランシスコ・エグザミナー』などの他のカリフォルニアの主要各紙にも一面に掲載され、日系移民問題に敏感な多くのカリフォルニア人の目にするところとなったのである。そして、その結果をヒューズは見て来たかのように誇らしげに書いている。

翌朝ウィルソン大統領が出勤すると机は太平洋岸からの電報で埋め尽くされていた。その多くは親友や支持者からのもので、条項を批判しその撤回を激烈に求めていた。(28)

スマッツの協力

日本全権の依頼を受けたスマッツは、さっそく二八日にヒューズとマッセーに面談した。ヒューズはスマッツに対して、自分は日本に反対する者ではないが、中国人がオーストラリアに大量に移民することを避けたいだけであると述べた上で、もし日本の提案が規約案に組み込まれるようなことがあれば総会で扇動的演説をするし、採択されるようなことにでもなれば、豪州代表として調印自体を拒否すると断言した。マッセーも個人としては日本の提案に異議はないが、ヒューズが反対を続ける以上、ニュージーランドとして歩調を一にするしかないとスマッツに語った。この会談の内容はスマッツの口から翌二九日に牧野に伝えられることになる。

二九日午前、牧野、ハウス、オルランド、スマッツが集まり、国際連盟の所在地を決める小委員会がハウスの部屋で行われた。その議事終了を待って、スマッツは、傍らのボンサルの部屋に牧野を連れて移動して、扇動的演説や調印拒否も辞さないというヒューズの前日の発言やヒューズと同じ立場をとるしかないというマッセーの言葉を伝えたのである。その内容に加えて、スマッツは自らの立場を説明した。スマッツの牧野に対する態度は極めて親しみのあるものであったが、自らのよって立つところを説明するにあたっては率直であった。スマッツは、パリにおいて牧野の立場も日本国の立場も争いようもないほど確固としたものであるのに、なぜわざわざこの問題を取り上げるのかと疑問を呈した上で、イギリス代表団の一員として歩調を合わせなければならない自らの立場を次のように説明した。

私が個人的にどのように感じているかはご存知の通りだが、私はここに公的資格で来ている。そのため、もしあなたがこの動議について固執するなら、私はその動議に非常に共感しているものの、そして、もしオーストラリアのヒューズがそれに反対するなら、そして彼は疑いなく反対するだろうが、私は「よきインディアン」のように他のドミニオンと足並みを揃えなければならないとあなたに警告しなければならない。[29]

ヤン・スマッツ

ただ、スマッツは、条約よりワンランク下げた協約の形でなんとか日本が満足できるやり方はないか考えていると述べ、とにかく日本に寄り添って解決策を最後まで探している姿勢を見せた。牧野は、これまでの努力についてスマッツに感謝の言葉を述べたうえで、ここまで日本が譲歩したにもかかわらず、ヒューズが反対を続けてうまくいかなかったということの顚末はいずれ知れ渡り、そうなれば国民も黙っていないだろうと述べた[30]。

そこにオルランドとの話を終えたハウスが加わった。スマッツがこれまでの経緯を簡単に告げると、もしヒューズが総会で移民問題を取り上げる演説などをすれば、アメリカ西海岸で問題となり、それはウィルソンを苦境に陥れるだろうとハウスは述べた。この時の模様を、ハウスは次のように日記に記している。

彼らがいまだに望んでいる冴えない決まり文句に我々は同意する一方、それを盛り込むことには反対だと私は牧野に率直に述べた［……］私は牧野にその件は当面やめておくよう促した[31]。

ハウスは、この機会を利用して日本のマスコミが米国に対して悪意に満ちた批判をしていることに触れた。それに対して牧野は、日本代表の人種案に対して米国が反対していると思っているからそうなっているのだろうと答えた。そして、自治領の一つであるオーストラリアに責任を押し付けるという考えを、同席しているスマッツは喜んではないだろうと思いながらも、ハウスは、原因は米国ではなく、ヒューズにあると日本国民にわからせるように牧野に約束させた。

これ以上議論をしても仕方がないと悟った牧野は、ハウスとスマッツの二人が協力してくれたにもかかわらず事ここに至ったことを残念としたうえで、自分は立場を変更することはできないので、目的貫徹に努めると述べた。それに対して二人からは、特にそれ以上コメントはなく、牧野はスマッツと今後また打ち合わせることを約束して解散となった[32]。

スマッツの牧野に対する、人によっては「過度なまでの」と表現するほど親しみを込めた態度は、実際の人種差別撤廃提案の通過をもたらすことはなかった。それを口先だけと批判することは簡単であろうが、そのような態度は、白人列強に囲まれる中で唯一の非白人大国として孤軍奮闘する牧野にとってはありがたかったはずである。実際、米英代表団のスタッフの中には、スマッツの態度によって牧野の白人列強に対する態度が明らかに和らいだと観察している者もあった[33]。

スマッツが牧野と力の籠った握手をして退席したタイミングで、ボンサルは牧野に話しかけた。彼には常日頃から、日本全権と話す機会があればぜひ告げたい苦情があった。それは、先ほどのハウスの言葉に沿ったもので、パリにおいて人種差別撤廃案にとっての最大の障害がオーストラリアであるのにもかかわらず、日本のマスコミはこの問題の責任をアメリカに押し付け、ほとんど例外なくアメリカを批判しているということであった。ボンサルは自分の机の上にある日本の新聞などの切り抜きの束を見せて、牧野に訴えた。牧野はわかったわかったとばかりに両手を挙げて、「まったく君が正しいし、我が国の報道は極めて不公正だ。明日パリの特派員たちを私のオフィスに呼び出して、そのことを告げるとしよう」と述べた。牧野は必ずそうしてくれることに疑いはないとボンサルは日記に記しており、いかに牧野がその誠実な人となりを他国の代表団

のスタッフにも信頼されていたことがわかる。(34)

「先ツ絶望ノ模様ナリシ」

この日、牧野が改めて、これまでの協力に対してスマッツに謝意を示したことにも表れているように、日本全権としては先行きの難しさを覚悟したように見える。ヒューズ豪首相の心を変えることは不可能に思え、オーストラリアの強硬姿勢に英全権は従わざるを得ず、ハウスもそれを覆すつもりはないように見えた。牧野は同日夕刻、陸海軍それぞれの委員である奈良武次陸軍中将と竹下勇海軍中将を全権室に招き入れ、人種差別撤廃提案の見通しを説明した。奈良武次はその時の模様を「先ツ絶望ノ模様ナリシ」と記している。(35)

スマッツの協約案

さて、話は二五日に行われた英自治領の首脳たちと日本全権との会合に戻るが、その会合において、ボーデン加首相は妥協案まで案出し、他の首相たちとともになんとかヒューズを説得しようと努力してくれた。南アフリカのスマッツに至っては、その後も日本全権に理解的な態度をとり続け、ヒューズの説得に尽力してくれている。オーストラリア同様に人種問題を抱える白人自治領を率いる彼らがなぜ、日本の人種差別撤廃案採択に協力的な態度を示したのだろうか。外交辞令ということもあっただろうし、大国日本をつなぎ留めておくことの重要性もあったであろう。ただ、そこにはイギリス帝国内の事情もあったことを忘れてはならない。

第一次世界大戦で、帝国内において圧倒的多数の兵員を動員して帝国を守ったのがインドであったが、インド人は非白人であることを理由に、その自由な移動を白豪主義などによって英帝国内においてすら制限されていた。ここでイギリス代表が主導して、日本人が提出する人種差別撤廃提案が否決されれば、イギリス帝国内の非白人から反発を買いかねず、それを避けるべく、実質的に法的拘束力をもたない名目上の提案であれば採択させた方が望ましいと考えたためと見ることもできる。(36)

三〇日、牧野と珍田はまたスマッツと協議している。スマッツを訪ねた二人は、スマッツが案出してくれた協約という形式について、西園寺首席全権らと協議した結果、否定的な結論に至ったと説明した。すなわち、日本の提案は正当なものであり、国内の世論もますます熱情からくる真心のこもったものになっていることを考えると、連盟規約本体に組み込む以外にその世論を宥《なだ》めることはできないと結論付けたと説明した。特に国内世論について強調し、集会がひっきりなしに行われ、日本代表がうまくこの問題を処理できなければ、日本は国際連盟に加盟すべきでないという者もおり、人種差別撤廃案が取り入れられないときは、政府としても不加盟論に従わざるを得なくなるかもしれないと述べた。それに対しスマッツは、ここまで難しい問題は、新しい局面を開くことなくしては打破できないと述べ、通商および移民問題に関する協約を締結するしかないと再度説明した。

それに対して牧野らは、日本の要求に対して協約案のようなもので対応するのは無理であると重ねて説明した。この形式は、日米における移民問題において、米国側が繰り返し提案してきたもので、一見すると公平にみえるが実態はそうではなく、すぐに変更を強いられるものであると、その受け入れられない理由を説明した。その上で、国際連盟委員会で日本の提案を受け入れ、その後、総会でヒューズがいくら騒いでも、それを問題としないで捨て置くというのが今回の問題が解決する唯一の手段であると、日本側の決意を表明した。

　スマッツは、ヒューズの決意が思ったよりも固く、彼には日本の案が取り込まれた連盟規約には署名するつもりはなく、総会ではとにかく反対して、世論を盛り上げるつもりであると述べた。そして、米国代表が防ぎたいと思っているのがまさにその点であるとした。調印を拒否する覚悟のヒューズが、アメリカの排日派を煽る事態に陥れば、ウィルソンは窮地に立たされかねないというのである。イギリスについては、オーストラリアが戦争において多大な犠牲を払ったことを無視していると批判されることが、イギリス代表にとって一番苦しいところであり、それゆえにヒューズには強く出られないと事情を説明した。

　実際、以前ウィルソンが軽々しく、いったい何百万人を代表してしゃべっているのかと、ヒューズに対してオーストラリアの人口の少なさを揶揄するような発言をしたとき、ヒューズは、自分は戦死した六万人のオーストラリア人のために発言していると答え、ウィルソンを黙らせている。人口比で考えたとき、ヨーロッパの交戦国を除けば、オーストラリアの戦死者の数は非常に多く、終戦前年にようやく参戦したアメリカと比べると、実数では少ないものの、人口比ではおよそ一〇倍であった。その後スマッツは、米英代表のそれぞれの内情についてこまごまと述べた上で、ほかの方法をなんとか考え出さないといけないとして、この日の会合は終了した。

翌二一日午前、牧野らは再びハウスを訪問し、前日のスマッツとの会談内容について報告し、米国側の支持を求めた。ハウスは、英帝国内の事情で人種差別撤廃提案が行き詰まってしまったことに対して憤って見せた。その上で、もしイギリス代表団が日本の提案に対して決然として同意するなら、米国もそれに合わせて行動すると語った。その上で、米国は日本の主張に寄り添っているということを日本国民が誤解するようなことがあれば、将来の日米関係を憂うることになると付け足した。これまでの経緯から、米国内の世論と米議会の動向を最優先するハウスが、ここで日本に寄り添って憤って見せたのは、イギリスがオーストラリアを見捨てて日本案を支持することはありえないと考えた上でのポーズと考えるべきであろう。ハウスは、日本案に反対しているのはあくまでヒューズであり、それに引き摺られた英代表団であることを強調した。そうすることで、米国は日本に心を寄せているとして、日本における米国のイメージを良好に保つように誘導していると考えるのが自然ではないだろうか。この日の日本全権との会談をそれほど重要でなかったとみえ、ハウスは日記で触れてはいない。

スマッツの国内管轄事項提案

この日、スマッツはカナダのボーデン首相と昼食をともにしている。その際、スマッツは、ボーデンに対して日本の提案をヒューズに提示して受け入れさせるように依頼した。ボーデンがヒューズに会ってそのように試みたところ、ヒューズは条件付きで受け入れる気があるようにボーデンには見えた。ただ、ヒューズは、連盟規約が移民と帰化は国内管轄事項とする場合にのみ妥協するとする線を譲らなかった。

午後になって牧野らはスマッツを訪問している。そこでスマッツは、「単純ナル国内事項」については国際連盟が勧告することができないという規定を設けて、そこに移民法や帰化法に関する件を盛り込むことでヒューズを納得させようと試みたと告げた。そのような規定によって、国際連盟が移民に関する事項に口をはさむことができないようにするというアイディアであった。それに対し、ヒューズは検討することを約束し、心に感じるところがあったようにスマッツには見えたという。それに対して、日本全権は、将来国際連盟で扱いを決めるべき問題を、国際連盟が介入できない問題の一つとして挙げてしまうことには反対であると述べた。それに加えて、一九一一年までの日米通商航海条約には第二条に日本移民を米国が国内法で自由に禁止できる条項があり、それを削除するために日本側が多大なる努力をした経緯を説明し、スマッツの提案するやり方では、元の木阿弥になってしまうとして、提案を止めるように要求した[37]。

三月三〇日の外交調査会

パリの日本全権からの、提案否決の場合の対応を問うた三月二〇日付の電報三九七号を日本政府が接受したのは、二六日であった。二一日のハウスとの会談によって新たに浮上した、前文に盛り込むという新たな案は、先の電報が本省に届くのを待たず、畳みかける形で三月二五日にパリから発信されていた。この四四〇号は「平等」の文字を削り、前文とすることでハウスの合意を得たとしていた。一方、英文の文案を記した四四一号は二八日夕刻に東京で接受されていた。

そこでは、元からの条文とする案を甲号として残したうえで前文に「国際連盟加入国民ハ総テ平等ナルノ主義ヲ是認シ」と挿入するという案が乙号として記載されていた(38)。

前文へ挿入するという新しい案を含めて、対応が協議されたのは、三〇日午前九時から首相官邸で開かれた外交調査会においてであった。この頃国内では、人種差別撤廃への世論はさらに盛り上がっていた。先述の通り、三月二三日には人種差別撤廃期成同盟会の第二回大会が開催され、人種差別撤廃案が採用されない国際連盟に日本は加盟すべきでないと唱えていた。三〇日の外交調査会は、パリの全権からの、日本案が否決された場合のことも考えておかなければならないという悲観的な電文に、日本は人種差別撤廃案のない国際連盟に加わるのか、それとも、国内世論のいうように人種差別撤廃案を認めない国際連盟とは袂を分かつのかの決断を迫られた。

ただ、この段階では国際連盟をめぐる外交調査会の主たる議論の多くは、他の問題に割かれていた。以前は、人種差別撤廃案なしには国際連盟への参

「国際連盟の彫像に人種平等も持たせやうと彫刻家（委員）が気を揉んで居るが生憎両手がふさがって居る腰へでもぶら下げるかな」女神は両手がふさがっていて「人種」「平等」をもたせる場所がないと皮肉る画（『時事新報』1919年4月3日発行夕刊）

加はあり得ないと、昨年末の外交調査会で最も強硬な立場をとっていた伊東巳代治にしても、人種問題はこの日挙げた八つの論点の一つに過ぎなかった。伊東は、パリの全権に改めて全力で当たらせるしかないと述べ「一タヒ提唱シタル我主張ハ決シテ撤回スルコトヲ許ササルナリ」と勇ましいことを言うものの、人種差別撤廃案が容れられないという「一事ヲ以テ国際連盟ヨリ脱退スヘシト云フノ激論ハ予ノ採ラサル所ナリ」と結論するなど、以前とは打って変わった態度であった。もともと英米協調に重きを置いていた原はもちろん同意見で、その夜の日記に「これがため国際連盟を脱退する程の問題にも非ず」と記している。(39)

その日のうちに、正確には午後二時に日本政府からパリに次のような訓令が打電された。その電報二〇九号は、その冒頭において、人種差別撤廃待遇を実現するためには、極力尽力するようにとされていたものの、成功が難しい場合として、次の三つの場合を挙げて、その実施を図るようにとされていた。その三案は、一、人種差別撤廃の宣言を連盟規約の付属文書に明記するとしたうえで、これを各国が了承したという旨を言明させること、二、単に第一案の宣言を規約の付属文書に明記すること、三、この宣言を議事録に記載させること、であった。そして、いずれも達成されない場合は、連盟規約への調印を一時見合わせるようにと書かれていた。

第一案と第二案に共通の、電報二一〇号として発信された宣言案とは以下のものであった。

本日国際連盟規約ニ調印セムトスルニ当リ日本全権委員ハ連盟各国ニ於テ特ニ国際連盟ノ根本主義ニ顧ミ人種又ハ国籍ノ理由ニ基ク法律上又ハ事実上ノ差別的待遇ヲ他ノ連盟国国民ニ

加フルコトヲ避クヘキヲ切ニ期待スル旨ヲ宣言ス[40]

「差別的待遇」を避けることを「切ニ期待スル」など、かなり控えめな表現であるのが見て取れる。しかも、直前まで「加フルコトヲ」と「避クヘキヲ」の間に「成ルヘク」が入っており、日本政府がいかに気を遣っていたかがわかる。

この電文が発信された二日後の四月一日午後、内田外相からパリの全権に宛てて、この二〇九号を修正する二一四号が「至急」扱いで発信されている。それによると、本省は、牧野らが苦労して用意した前文に挿入することを目指している文言を、弱いと考えたようである。牧野ら前文案のみでは、日本側が譲歩したと考えられかねないとして、一、仮に前文の修正案が通過したとしても、二一〇号の宣言案を会議の議事録に記入する、二、それが無理ならば前文の修正のみで調印して問題ない、三、前文の修正が叶わないときは、二〇九号の指示に従うこととした。そして、末尾においていずれの場合においても、連盟規約の最終案が総会に上程された時には、二一〇号の宣言に基づいて日本の立場を明らかに宣言するようにと指示していた。

日本全権の驚き

この訓電二〇九号と二一四号を読んだ日本全権団は驚いた。二〇九号の第三案をよく読んでみると、最低条件が、議事録に残すという極めてハードルの低いものだったからである。そのあとに書かれた二一四号にしても、前文の修正が叶わない場合は、二〇九号の第三案に従うようにとのことで、結局は、主張が議事録に残ればそれで構わないということになる。東京の外務省は、連盟規約に付属書を付けさせることや、規約前文を修正させることの困難さを軽く見ており、一方で、議事録に残すという行為を重く受け止めているように思われた。

訓電の内容に驚いたパリの日本代表からは、さっそく、念を押す電文が東京に発信された。二〇九号の第一案と第二案については、そもそも付属書を付けるということは、規約の一部にならざるを得ないから、成功の見込みがないだけでなく、規約本体の前文にこちらの希望の文言を入れさせようと交渉しているときに、付属書云々と言い出せばこちらが一歩引いたと考えられかねず、都合が悪いとして実行困難と回答した。第三案については、総会だけでなく各委員会でも委員の発言は、どのようなことでも議事録に残すことになっており、討議する必要もなく議事録に残るため容易にできるが、それには何の拘束力もなく、それでよいのかと念押ししたのであった。その電文は、パリから四月五日夕刻に発信された。(41)

四月も努力継続

議事録記載で構わないとする訓電をまだ受け取っていないこともあって、日本全権団は、四月に入ってからも努力を続けていた。牧野と珍田は、英帝国関係者やハウスを通じて、なんとかヒューズの説得を試みている。牧野はマスコミ対策も忘れなかった。四月二日にはアメリカのAP通信社の特派員に対して、自国の立場について語っている。そこで牧野が強調したのは、日本が望んでいるのは「単純な正義」のみであるということであった。日本はアメリカに人種差別撤廃提案をもって移民労働者を送り込もうとする意図はまったくなく、紳士協定でもって自主的に移民の出国を抑えていると断言した。そして成功裏に国際連盟が継続するには互いの敬意が必要であり、便宜的結婚は不信と不和しか生まないと語った[42]。

四月に入り、頼りにしていたスマッツがハンガリーへ出張することになったため、牧野と珍田は困り果てた。スマッツ以外にヒューズの態度に影響を与えることができる者がいるとすれば、英国のトップしかないとの考えから、二人は四月三日にロイド＝ジョージ首相を訪問し、これまでの経緯を説明した上で、ヒューズ説得への力添えを依頼した。ロイド＝ジョージは、日本の提案に賛意を示し、ボーデン加首相とルイス・ボータ南ア首相と相談の上、努力する旨語った。自分としては日本の提案に賛成だが、諸事情が許さないという、ウィルソンやハウスと同じ姿勢を示したのであった。人種差別撤廃という大義に公に反対と言うわけにもいかず、また五大国の一つである日本の全権を表立って離反させるわけにもいかず、このような態度になったのであろう。

牧野らは、出張から戻ったスマッツに再び助力を求めるなどして手を尽くしたが、ヒューズを動かすことはできなかった。これと並行して、牧野は旧知であるロンドン『タイムズ』紙主筆ヘンリー・スティードに同紙の影響力を用いてヒューズを心変わりさせることを依頼するなど、ありとあらゆる手を尽くした。しかし、スティードの得た情報では、ヒューズは日本の提案に反対することについて、アメリカ代表団の一部の同意を取り付けており、ヒューズの態度を変えることは難しかった[43]。

ヒューズにお墨付きを与えていたアメリカ代表団のメンバーが誰であったかについては、ステ

「重い物は皆振落すとは酷い馬だ」講和会議という馬が「正義」や「公平」といった荷物をふり落としている（『万朝報』1919年4月7日発行夕刊）

ィードはハウスではないとだけ記しているのみで、正確にはわからない。カナダ、南アフリカ、ニュージーランドなどの代表が説得する中、頑として態度を変えずにいた背景にはアメリカ代表という強い味方があったのである。他の自治領代表たちの説得に対して、態度を軟化させるどころか、もし日本の提案が通ったら豪州代表はパリを引き上げると態度をさらに硬化させるに及んで、ボータ南ア首相は牧野に対し「ここだけの話だが、あいつは頭がおかしいと思う」と語ったという(44)。

四月七日にボーデンは、牧野とセシルと話し、九日には牧野と珍田に話している。おそらく、ヒューズの条件については日本側としては受け入れられないと返答したものと思われる。ボーデンは一〇日にもヒューズと話そうとしたが、病気を理由に代理のロバート・ガランに会えたのみであった(45)。翌日の会議にヒューズが元気に出席していたことから、人種差別撤廃提案に関する話題を避けるための仮病であろうと日本側は推測している。ただ、三月の交渉が日ごとに個別に記録されている一方で、四月に入ってからのこれらの個々の会談についての日ごとの記録は日本側にはなく、四月一一日の委員会終了以降に作成された電文で一つにまとめて報告されている。三月末の本省からの電文で、宣言文の議事録記載で足りるとハードルが大きく下がったことによるのかもしれない。

カリフォルニアでの動き

この頃、カリフォルニアでは第一次世界大戦参戦で抑え込まれていた排日感情が再び盛り上がりを見せていた。問題となっていたのは日本からの写真花嫁と、日系移民の土地賃貸に関する件であった。一九〇七年から〇八年にかけての日米紳士協定によって、日本政府は対米移民を実質的に禁止したと説明したが、移民の配偶者の出国は認められていたため、引き続き多数の日本人が上陸していた。また、一九一三年の州法によって日本人の土地所有を禁止しようとしたが、法人を介するなどした脱法的行為によって事態はあまり変わらなかったため、これらを禁止するための立法が望まれていた。第一次世界大戦終結によってそれらの動きが再燃していたのである。

同じ頃、オーストラリアの地方議員がサンフランシスコ弁護士会の集会で登壇し、「オーストラリアは決してアジア系移民を受け入れない」と発言していた。そして、オーストラリアが日本の講和会議への修正条項を受け入れないのは、それがトラブルの原因になりかねないからだと語った。米国西海岸ではオーストラリアのアジア人排斥の動きが報じられ、またオーストラリアでは米国西海岸のアジア人排斥の動きが盛んに報じられていたのである(46)。

ロサンゼルス市会は、パリ講和会議における日本代表の人種平等に向けた動きを牽制する決議を全会一致で通過した。それは以下のような文言を含む、講和会議での議論を地元の日系移民問題と結びつけて考えるものであった。

講和会議の代表の中に、自由移民、帰化、選挙権、農地その他の土地の所有権、そして、異人種間結婚の権利を米国が東洋諸国に与える義務を課すかもしれない「人種平等」を連盟規約に入れるよう要求している者があり、しかるに、東洋移民を抱えるカリフォルニアの経験が、白人の安寧を損なうことなしに、究極的にはアメリカ文明の安寧を損なうことなしにそれらの権利を与えることはできないと示しているので［……］ロサンゼルス市会は、移民をコントロールし、人口、人種的発展、並びに国内の制度を維持するのに適するように裁量する権利に干渉するいかなる政策にも反対するよう、講和会議の米代表に求めることを決議する［……］さらにこの要求が講和会議の米代表に電送されるよう決議する。(47)

このような国内情勢の中、ハウスとしては、もし日本の提案を受け入れた場合、ヒューズ豪首相が総会の場で移民問題を取り上げて反対の論を展開しかねず、そんなことになれば米国内、特に西海岸の議員が大きく反応し、ウィルソンは窮地に立たされかねないと考えていた。確かに、日本の提案を受け入れなければ、日本が連盟に加わらない可能性もあった。ただ、ハウスとしては、パリ講和会議で作成される条約が米国において有効となるには、米連邦議会上院の三分の二の賛成がどうしても必要な以上、アメリカの国内情勢を優先せざるを得なかった。

アメリカ国内で日本の人種差別撤廃案に反対していたのは、日系人問題を抱えた西部の住民だけではなかった。多数のアフリカ系住民を人種差別的な制度の下で抑え込んでいた南部も、人種平等を訴える日本の提案を同様に好ましく思っていなかった。例えば、南部の主要紙も、日本のために米英の白人国が犠牲になることはなく、白人国に対して平等な立場で無制限に日本人の入国を認めるいかなる条約を認めないと書いていた。また、ミズーリ州選出のジェイムズ・リード上院議員はこのしばらく後の国際連盟をめぐる上院での議論において、国際連盟規約を「白色人種と文明世界の支配権を、いかなる人種問題に関しても白人優越に反対する諸国の会議体に委ねるもの」と攻撃し、国際連盟という試みを支持することについて、黒人問題を抱える南部選出の議員も、中国人や日本人の問題を抱える西部選出の議員も、自分の出身地で申し開きをすることはできないだろうと宣言したが、ここに典型的に表れているといえよう[48]。

日本代表の報告は、この間の尽力について、スマッツ、ボータ、ボーデンの三人を名指しして感謝の意を記している。ただ、いずれの努力もヒューズの考えを変えるには至らなかった。その間、国際連盟委員会の議事は進行し、四月一一日に規約について議了することとなったため、ヒューズの如何を問わず、日本は提案を提出することになった。四月一〇日の国際連盟委員会の最後で、牧野は、翌日の委員会で質問する権利を留保する旨発言し、認められた。ハウス大佐の義理の息子であるゴードン・オーキンクロスはその日の日記に、あまりにしばしば日本代表が留保を求めるので、まるで冗談か何かのようになってしまったと嘲笑的に記している。これが、日本の提案に対するアメリカ代表団の当時の雰囲気をよく表しているといえよう。

「イクラ見せまいとしても……」政府は講和会議での失敗を国民から隠そうとしていると考えられていた（『万朝報』1919年4月9日発行夕刊）

国内世論の高まり

日本代表の努力にもかかわらず、人種提案が受け入れられる可能性は小さくなっていった。先の訓令を見てわかるのは、日本政府も現実を冷静に判断し、半ば挿入を諦めていたということである。一方で、実情を知らない日本国内の世論はますます燃え上がっていた。「寧ろ連盟を脱せよ」と題して四月六日付の『国民新聞』に掲載された大隈重信の論が典型的である。大隈はまず、パリ講和会議で議論されている日本に関わる問題のうち、「唯人種差別の撤廃問題のみは此際是非にも解決せざるべからず」として、人種問題を日本が取り組むべき最重要課題とする。その上で交渉相手のアメリカ人について、「口には常に正義平等を提唱しつゝ、あるも事実に於ては尚ほ差別的待遇をなしつゝある」と批判する。と同時に大隈は日本全権をも批判する。「謙譲の美徳を発揮」しすぎて「卑屈」となっているという一般的な批判だけではなく、西園寺全権は、日本にあってもすでに隠居の身にあったものが外国に派遣されて活躍するはずもなく、牧野も含めて「老耄」であるとする。そして「飽迄人種的差別の撤廃を貫徹せざる可らず」とし、もし、それが否決されるならば、連盟脱退の覚悟が必

要としている。(49)

人種差別撤廃案が容れられなければ連盟に参加しないこともありうるというのは、前年末の時点で伊東巳代治など、外交調査会のメンバーにもみられた考えであったが、この時点ではすでに伊東も原も含めて政府方針として、覆されていた意見であった。前年の伊東らの強硬意見が数カ月遅れで、世論に反映されてきたと言える。また、大隈が西園寺や牧野をことさらに批判したのは、全権を決める過程で、大隈は期待して待っているかもしれないと陰であざ笑われていた雰囲気を感じ取っての意趣返しかもしれない。いずれにせよ、事態の困難さとは裏腹に、日本の国内世論は高まっていたのである。

モンロー主義

一時帰国以来、ウィルソンは一つ厄介な問題を抱えていた。アメリカ帰国時に孤立主義的な共和党員たちから、連盟規約へのモンロー主義を保証する条項の挿入を求められていたのである。連盟規約によってモンロー主義は破棄されるのか議員から問われたウィルソンは、連盟規約はモンロー主義の承認であり延長であると答えた。すると、ならば規約の中にモンロー主義を保証する一節が挿入されても反対はなかろうとなったのであった。また、モンロー主義の挿入を求める書簡も、議員から一時帰国中のウィルソンのもとに届いていた。そのような書簡の中でネブラスカ州選出のG・M・ヒッチコック議員は、修正がなされれば多くの議員が賛成するとした上で、その修正の条件の第一と第二として、加盟国の国内事項への排他的管轄権の留保とモンロー主義の留保を挙げていた(50)。

ただ、世界大の普遍的な国際機構の設立を目指しているウィルソンにとって、自国の勢力圏を認めさせるような文言を規約に盛り込むのは、その根本的趣旨に反することであった。また、日本が「アジア・モンロー主義」という言葉を使って利用してくるのではないかという懸念もあった。顧維鈞もその辺を懸念して米代表団のミラーに面会している。

ただ、ウィルソンは、国際連盟という大きな大義を実現させるためには、小さなことには目を瞑るという姿勢も持ち合わせていた。結局、ウィルソンとハウスはモンロー主義を認めさせる条項を四月一〇日の国際連盟委員会で提案することとした。その夕方の委員会の直前、ハウスはミラーに対して、その条項を審議にかけるべきか、それとも採用扱いにすべきか尋ねた。ミラーは採用扱いで行くべきと答えた。それはハウスの考えと一致するものであった。フランス代表が反対することがわかっていたが、ハウスは押しつぶすつもりだと語った。フランス代表の扱いに関してハウスには自信があった。実はその日の午前中、クレマンソーに会い、最終的に総会においてはモンロー主義の挿入に反対する二人のフランス人委員の発言内容を認めないと確約をもらっていたのであった。ただ、イギリス代表についてはハウスもそれほど自信満々であったわけではない。ハウスはセシルとこの件について事前に話しており、米国はこの件に関しては取引に応じないと伝えていた。そして、その夕方の委員会に提出するつもりであること、あなたの支持は好ましいが、反対は自由だと伝えたのであった。それに対し、セシルは大いに心配し、英国の支持を約束することはできないと認めていたのだった。

会議は午後八時から始まった。まず国際女性評議会と参政権会議の代表団の表敬を受け、ウィルソンがそれに答えた。代表団が退席すると、起草委員会による修正された規約案が紹介された。牧野の要請で前文の検討は後回しにされ、第一条の検討から始まった。国際連盟本部所在地についての第七条の議論は長引いたが、第八条と第九条の議論は短く終わった。そして、加盟国の領土保全と政治的独立を謳った第一〇条の議論に入った。そこでウィルソンが、次の一文を第一〇条の最後に加えるよう提案を行った(51)。

本規約ハ、仲裁裁判条約ノ如キ国際約定又ハ「モンロー」主義ノ如キ一定ノ地域ニ関スル了解ニシテ平和ノ確保ヲ目的トスルモノノ効力ニ何等ノ影響ナキモノトス

まず、顧維鈞が、趣旨には賛同するが、モンロー主義は、この条項の中で特に単独で名指しされるべきであり、地域的な了解事項のひとつとすべきではないと発言した。山東問題でウィルソンの助けを必要としている中国代表にとって、ウィルソンの機嫌を損ねるわけにはいかず、かといって懸念はあるという難しい立場におり、精いっぱいの発言であった(52)。

フランス代表のラルノードは直截的に懸念を表明した。この修正は、ある特定の国にだけ関わるもので、規約全体との調和に欠けるというのであった。至極まっとうな批判であった。また、ラルノードは、すべての加盟国は国際的な取り決めを連盟の精神に合致させる義務があるとしている第二〇条に、アメリカの修正案は反していると考えると述べた。オルランドは第二〇条には

反していないと考えると述べた。セシルはウィルソンを支持し、修正案は単に、モンロー主義の正当性は連盟規約によって損なわれないと言っているだけだと説明した。顧維鈞は、モンロー主義に関して規約に入れるべきという点で、ウィルソンとセシルに同意すると述べた。オルランドは、ラルノードにモンロー主義があってもアメリカはこの戦争でヨーロッパを助けに来たことを思い出させようとしたが、ラルノードは、アメリカはそうしたいから来ただけだとそっけなかった。ブルジョワは、もしこの修正条項が認められれば、規約の下に二つの国のグループができてしまうと懸念を表明した。ラルノードは、第一〇条に組み込むよりも第二〇条の末尾に付与することを提案した。ヴェニゼロスも採択を促した。ラルノードはなおも食い下がったが、結局採択された[53]。

牧野は採択された後で、最後にこの件について質問する権利を留保する旨述べただけで、その他は一切発言しなかった。翌日に人種案を前文に組み込む提案を控えており、米英の機嫌を損ねることを避けたのか、日本との関係が薄いと考え発言しなかったのか、アジア・モンロー主義の主張は使えると考えて敢えて採択を願ったのか、この件に関する牧野らの記述がないため定かではない。日本の人種差別撤廃提案が否決され、ウィルソンのモンロー主義に関する提案が入れられたことについての日本人のモヤモヤした気持ちは、その後の日本のアジア進出を圧迫する米国の態度に対する次の永井柳太郎の記述にうまく表れている。

米国の今日の態度は国際連盟の第二十一ヶ条に於て米国のモンロー主義は之を世界各国が承

認しなければならぬと云ふ箇条までも書かせて、南北両米の天地は之を米国が独占して、単に亜細亜の天地に来つて汝等は此土地の門戸を開放し、機会を均等ならしめよ［……］と云ふ(54)

註

（1）『日本外交文書』大正八年第三冊上巻、四五五～四五七頁
（2）同右
（3）『日本外交文書　巴里講和会議経過概要』、三四三頁
（4）Hughes, *Policies and Potentates*, p. 245
（5）Bonsal, *Suitors and Suppliants: The Little Nations at Versailles*（New York: Prentice-Hall, inc., 1946）, pp. 228-229
（6）Henry Cabot Lodge, *The Senate and the League of Nations*（Charles Scribner's Sons, 1925）, p. 236
（7）*Congressional Record*, 65th Congress, vol. 57, pp. 4520-4522, 4974
（8）*New York Times*, 15 March 1919; *New York Tribune*, 16,18 and 23 March 1919; *San Francisco Examiner*, 16 March 1919
（9）*St. Louis Post-Dispatch*, 22 March 1919
（10）*Boston Globe*, 25 March 1919; *New York Times*, 25 March 1919
（11）Tomoko Akami, *Internationalizing the Pacific: The United States, Japan and the Institute of Pacific Relations, 1919-1945*（Routledge, 2001）, p. 24; 一又正雄「日米移民問題と『国内問題』——国際法における国内問題理論出現の端緒」植田捷雄編『神川先生還暦記念　近代日本外交史の研究』（有斐閣、一九五六年）、四二三～四三九頁；Alfred Zimmern, *The Prospects of Democracy and other Essays*（Chatto & Windus, 1929）, pp. 191-192
（12）『日本外交文書』大正八年第三冊上巻、四七一頁

(13)『日本外交文書』大正八年第三冊上巻、四七二～四七三頁

(14)『日本外交文書　巴里講和会議経過概要』、四五四～四五五頁

(15)『日本外交文書　巴里講和会議経過概要』、四五五頁

(16)『日本外交文書　巴里講和会議経過概要』、四五五頁；House diaries, 21 March 1919

(17)『日本外交文書　巴里講和会議経過概要』、四五六頁

(18)『日本外交文書　巴里講和会議経過概要』、四五六頁；House diaries, 22 March 1919

(19)『日本外交文書　巴里講和会議経過概要』、四五六頁

(20)『亜細亜時論』大正八年四月

(21) Lord Robert Cecil diary, 25 March 1919, British online Archives

(22) Major Piesse, 24 March 1919, Naval Office, Melbourne. MP, NAA 1049/1, 1918/0491 quoted in https://web.archive.org/web/20170101071337/http://www.abc.net.au/100years/EP2_3.htm

(23) Bonsal, *Unfinished Business*, p. 154

(24) Bonsal, *Unfinished Business*, p. 154

(25) House diaries, 27 March 1919

(26) Hughes, *Policies and Potentates*, p. 247

(27) *Los Angeles Times*, 28 March 1919

(28) Hughes, *Policies and Potentates*, p. 247

(29) Bonsal, *Unfinished Business*, pp. 169-170

(30)『日本外交文書　巴里講和会議経過概要』、四六〇頁

(31) House diaries, 29 March 1919

(32) 内田外相宛松井大使電報、大正八年三月三〇日、人種差別撤廃　第二巻

(33) Bonsal, *Unfinished Business*, p. 170

(34) 同右

(35)『陸軍大将奈良武次日記』（下）（原書房、二〇二一年）、二九〇頁

(36) 松本佐保「『ラウンド・テーブル』運動とコモンウェルス——インド要因と人種問題を中心に」山本正・細

川道久編著『コモンウェルスとは何か――ポスト帝国時代のソフトパワー』（ミネルヴァ書房、二〇一四年）、一九一～二二〇頁

（37）『日本外交文書　巴里講和会議経過概要』、四六三頁

（38）『日本外交文書』大正八年第三冊上巻、四七九～四八五頁

（39）『翠雨荘日記』四四二～四四五頁、『原敬日記』大正八年三月三〇日

（40）別電二一〇号、人種差別撤廃　第二巻

（41）内田外相宛松井大使電報、大正八年四月五日、人種差別撤廃　第二巻

（42）*San Francisco Chronicle*, 6 April 1919

（43）『日本外交文書　巴里講和会議経過概要』、六〇六頁；Steed, *Through thirty years*, vol. 2, pp. 322-323

（44）同右

（45）Henry Borden ed., *Robert Laird Borden: his memoirs*, vol. II（McClelland and Stewart, 1969）, pp195-196

（46）*San Francisco Examiner*, 5 April 1919

（47）*Los Angeles Times*, 11 April 1919

（48）*Los Angeles Times*, 27 May 1919

（49）『国民新聞』大正八年四月六日

（50）Ray Stannard Baker, *Woodrow Wilson and World Settlement*, vol. III（Doubleday, 1922）, p. 174

（51）*PWW*, vol. 57, pp. 218-226

（52）*PWW*, vol. 57, pp. 226-227

（53）*PWW*, vol. 57, pp. 227-232

（54）『亜細亜時論』大正八年一〇月

第五章

連盟規約前文へ挿入の試み

四月一一日の国際連盟委員会

四月一一日、国際連盟委員会は規約を検討する最終日を迎えた。この日は春らしい暖かい日であった。午前中から四巨頭会議に出席したウィルソンは疲れ切っていたが、医師の勧めで夕食前に軽く仮眠をとってなんとか回復していた。連盟委員会は、ウィルソンを議長として午後八時半から始まった。まず規約各条文に関する討議が行われた。すると第二〇条のところでラルノードが、モンロー主義にかかわる新たな妥協案を持ち出した。ウィルソンは、妥協案では、モンロー主義と連盟規約に矛盾があるかのような印象を与えると暗に否定した。ラルノードはなおも食い下がり、ブルジョワもそれに加わった。セシルは、モンロー主義のために連盟理事会が欧州、米州、アフリカ、アジアなどで活動するのを妨げるというのはモンロー主義の曲解であり、米国市民がまずもってそれを否認するだろうと述べてウィルソンを助けた。結局、細かい表現が修正されただけで、モンロー主義に関する条項は採択された(1)。

ようやく前文に関する議論が始まると、牧野は発言を求め、再度、人種問題について長い発言を行った。まず、牧野は、この問題が人類の相当の部分にとって極めて重要であるため、再度提議するのは自分の義務であると冒頭で断った。まず牧野は、国際連盟は「正義遂行暴力打破ノ世界」を作ることを目的としており、これまでよりも高い「道徳的標準」によって世界の諸国民の関係を律し、「世界ヲ通シテ一層正当ナル正義ヲ行ハムコトヲ計画」しているものであるとする。そして、その世界において差別を受けている人々にとって、深い憤りの素となっているものに

「人種的差別ノ非違」が存在しているため、将来の諸国民間の関係の基礎として、正義の原則が発表されたことで、彼らの正当な願望が高まり、「非違ノ撤廃」を正すことが自分たちの権利だと考えるようになったと述べた。(2)

加えて牧野は、諸国民間の平等という原則が否定されれば、連盟規約の指導精神であるはずの正義に対して、人種差別を受けている側の人々の信仰が揺らぐかもしれないと述べた。そのうえで、その具体的な例として、軍事的義務の遂行において、躊躇が生じる可能性が危惧されなければならないとした。そして重ねて、自分たちに対して正当な待遇を拒否している人々を守るために、重く深刻な義務の要請に応じるという考えに、差別されている人々が納得するのは容易ではないだろうと述べた。(3)

牧野は最後に、いかなる国家の内政にも介入する意図はなく、将来的国際交流の原則を規定するに過ぎないと述べて、反対する関係国を安心させようとした上で、「各国民ノ平等及ヒ其ノ所属各人ニ対スル公正待遇ノ主義ヲ是認シ」との一節を前文に挿入することを提案した。(4)

この牧野の演説は素晴らしいものであった。人種平等原則という一般論は論駁しようもなく、人種差別に不満を抱く人々が軍事的義務に躊躇するかもしれないという一節は、特に英代表の胸に突き刺さったはずである。これはイギリス軍のために動員されたインド人などの帝国内の非白人が、命を懸けて英国のために戦ったものの、人種のために帝国内での自由な移動すらかなわない現状を指していた。英代表はこれを聞いて、気まずい思いをしたはずである。また、文言も「国民ノ平等」とされ「人種」の文字はここにはもはや見られず、反対するのは難しいかに思われた。

セシルの反対

この雄弁な演説に、最初から牧野の提案を潰すつもりでいたイギリス全権のセシル卿すら、内心ではその出来を認めずにはいられなかった。その日の模様を、セシルは日記に次のように記している。

その夕刻国際連盟委員会あり。牧野が読んだ極めて有効なペーパーで、ジャップは自分たちの「国民平等」修正を提出した。スマッツは、私に十分な警告を与えることなく遁走しており、私は彼が出席しないとは知らなかったので、彼の代わりを用意しておらず、一人でできる限り日本人と取っ組み合わねばならず、あまりうまくいかなかった。長くあまり首尾一貫しない議論の結果、出席者のうち一一人が日本の修正案に賛成し、ポーランド人のドモフスキだけが私と並んで反対に投票した。しかしながら、大統領は、全会一致でないとの理由で、規約に挿入できないと裁定した。しかし彼は修正案に抵抗する上で、私が期待していたほど勇気を示さなかった。[5]

表向きは平然としていたセシルであったが、心の内ではこのように考えていたのである。彼は牧野の演説が「極めて有効」と認めていた。もちろん、日記にはそう記すものの、公の席では牧野の議論を認めるわけにはいかず、さっそく反対した。ただ、この牧野の提案に対してセシルは、スマッツが無断欠席したため、ほぼ一人で対抗しなければならなかった。スマッツ側の事情を勘案するなら、自身もイギリス代表団の一員である以上、オーストラリアの立場に反するわけにはいかず、セシルに対して援護射撃をすべき立場にあった。一方で、あれだけ親身に日本代表に対応していたスマッツにとって、結果が見えた議案について、委員会の場で表立って、日本を叩くことはためらわれたし、百害あって一利なしだったのであろう。

それではセシルの反論から見ていこう。牧野が提案を読み上げ終わると、まずセシル卿がイギリス全権として認めることはできないと発言した。個人的には牧野の考えに全面的に同意するが、残念ながら、そのような修正案に対して投票を求める立場に牧野はないと述べたのである。イギリス政府としては、人種問題の重要性は認めるものの、加盟国の主権を侵害するような解決法を、国際連盟委員会としては試みることはできないということであった(6)。

日本全権が前文に盛り込もうと提案している点は、曖昧で効力がないととることもできたし、実際上の重要性があるととることもできた。前者の場合は提案自体に意味がないように見えたし、後者の場合は、加盟国の国内問題に抵触し、重大な議論の扉を開くことになるため、いずれにしてもイギリス全権としては受け入れられるものではなかった。そもそも加盟国が、なすべきことをすべて規約に書き込むことはできないのは明らかであった。しかも、日本は常任理事国として、他の大国と完全に対等の立場を与えられているのであるから、平等の立場を要求するのはセシルには的外れに思えた。いつでも理事会で問題を提起できるからである。セシルは、理念としては

「シッシッ出てゆかぬかッ……」英が豪州を使って人種平等を追い出そうとしている（『万朝報』1919年4月15日発行夕刊）

賛成であるが、様々な事情から認められないという、その場にいたミラーの言葉を借りれば、「セシルはあたかもとても難しい立場にいるかのように振舞った」のであった。そして、発言し終わった後は、テーブルに視線を落としたままであった[7]。

このセシルの反対に対して、珍田が反論した。人種や移民の問題を持ち出したわけではないと、珍田はまず強調した。各国民の平等の原則と、その所属各人に対する単なる公正待遇を求めているだけであると述べた。珍田としては、この平等原則を導入することは、労働条件や公衆衛生の管理と同様に重要なことであった。そしてなにより、日本代表の修正案を認めることは、国際連盟が正義に基づいているべきであるということを意味していることに他ならなかった。そして、日本の国内世論が強くこの修正案を支持していることを理由に、票決に付すよう求めた。そして、その投票で提案が認められなければ、それは加盟国の平等が認められないと示すことになり、新しい組織は日本で非常に不人気になるだろうし、日本国内で厳しい非難を受けることになり、そんなことならば国際連盟に加わらなくてよいと言っている者すらいると、踏み込んだ発言をした[8]。

伊仏の賛同

そこで意外なことに、イタリア全権のオルランド首相が日本を支持する発言を行った。各国民の平等の問題はおそらく提起されるべきではなかったのだろうが、いったん取りあげてしまった以上、その修正案を採択する以外に解決策はないと述べたのである。オルランドによれば、採択が難しい理由として、セシル卿が述べたのは実際的な理由であって、そのような議論は、もし加盟国に対して拘束力のある規約に新しい条文を加えることを考えるならば意味があるが、いま俎上に上がっているのは原則の表明であると述べた。そして、その原則が否決されれば、この新しい組織の目的にまったく調和しない感情を生じさせることになりかねないとまで発言した[9]。

フランスのブルジョワもオルランドに同調し、正義の原則を疑いなく体現している修正を否決するために投票するのは不可能だとした。同じくフランスのラルノードは、前回と異なり日本の提案が、連盟規約の条項としてではなく、前文の修正という形で提案された点を指摘し、採択しないのは困難ではないかとの意見を述べた。加えて、前文というものは、加盟国に義務を課す条文と異なり、原則の宣言であることも加味すると、委員会はこの修正を投票にかけないわけにはいかないのではないかと述べた[10]。

ギリシャのヴェニゼロス首相も、条文の修正として提出された前回と、前文への挿入案として出された今回の違いを強調した。前回は、宗教に関する条項への修正という形で提出されたため、条文ごと削除されてしまったときに、自分が大きな役割を果たしたことをヴェニゼロスは強調した上で、今回はまったく異なった形での提出となったとした。それは修正の中身にも言え、今回求められているのは、「人種の平等」ではなく「各国民の平等及び其の所属各人に対する公正待遇」であり、しかも牧野が、提案は、いかなる国に対しても移民に関して国内法の制定を求めるものではないと指摘している以上、否決は難しいだろうという考えを表明した。そして、もし、日本の修正が認められるなら、宗教の自由に関する条項も提案されてしかるべきかもしれないと付け加えた[11]。

チェコスロバキアのカレル・クラマーシュも、日本の修正を受け入れたところで、なにか危険なことになるとは思えないと、修正案を支持する発言をした。クラマーシュは、日本の修正案が、規約前文のほかの部分と、特に前文の「公明正大ナル関係」という表現と調和しているとの考えであった[12]。

一方で、ポーランドのドモフスキは、日本の修正案に共感は示しつつも、特定の条文による強制力をもたないのに、一般的宣言が前文に盛り込まれているのはいかがかと疑問を呈した[13]。

中国代表の顧維鈞は、判断を留保した二月一三日の委員会と異なり、今回は事前に用意した声明を読み上げげた。それは日本の提案に賛成するものであった。

> 日本の修正案に含まれる原則は、時間だけが普遍的に満足のいく解決をもたらしうる多くの問題に関連していると信じている。とはいえ、連盟規約においてその原則が承認されるのを見るのは大変喜ばしく思うし、本委員会はその採択に深刻な困難を見出さないことを願っている[14]。

このように日本の提案に対し賛成意見を述べた顧維鈞は、自分のこの発言が議事録に残ることを希望して発言を終えた。

票決

日本の修正案を支持する多くの委員の発言、特に四大国の一角を占めるフランスとイタリアの発言にセシルは苛立っていた。議長のウィルソンも同様であった。日本の案を受け入れることによって生じる、委員会の外で発生すると予想される様々な厄介ごとをウィルソンは考えていたのである。中でも致命的なのが米国議会の反応であった。ウィルソンがその成立を熱望していた国際連盟は、ヴェルサイユ条約の一部となることがすでに決議されていたが、条約が米国において効力を持つには、ウィルソンが調印するだけでは足りず、米国連邦議会上院の三分の二の賛成が必要であった。それは、彼の所属政党である民主党を超えた超党派的な支持が必要なことを意味していた。日本による提案は黄色人種と白人の平等を意図していると考えられ、それだけでもカリフォルニアの世論を悪化させるのに十分であったが、黒人と白人の平等にも適用でき、そのような文言を含む国際連盟規約を、上院の南部出身の議員たちが受け入れるはずはなかった。

ただ、世界平和や平等を高らかに謳いあげるウィルソンにとって人種平等を正面から否定するのは好ましくなかったし、五大国の一角を占める日本の気分を害するのも理想的ではなかった。二月一三日の委員会には欠席していたので矢面に立たずに済んだが、今回は議長としてその場にいる以上、前面に立たざるを得なかった。ウィルソンは、日本の提案を否定するのではなく、議

「『大なる期待は出来ない』と言はれた原首相は先見の明ありと云ふべし　人種案否決も予定の事か？」原首相は人種案の否決を予想していたのか（『時事新報』1919年4月21日発行夕刊）

長である立場を利用して、軽々しく扱う問題ではないので、規約の前文はそのままとするとして打ち切ろうとした⒂。

そこでそうはさせじと牧野は発言を求め、無駄な議論を続けるのではなく、自分はこの件に関しては日本政府の絶対的見解を代表しているので、当委員会の明確な決定を求めないわけにはいかないと述べ、日本の修正案についての委員会の票決を求めた。この牧野の提案は認められ、票決が行われた⒃。

票決は、日本の提案に賛成の者が挙手するかたちで行われた。挙手したのはフランス、イタリア、日本が各二名、中国、ギリシャ、セルビア、ポルトガル、チェコスロバキアが各一名で計一一名であった。挙手しなかったのが、イギリス、アメリカ、ポーランド、ブラジル、ルーマニアの五委員であった。議長のウィルソンは評決には参加しなかった。一見すると一一対五で日本の提案は通ったかに見えた。その時、ハウスはウィルソンにメモを渡している。そこには「困ったことに、それをこの委員会が通すと、間違いなく世界中で人種問題を引き起こすことになる」と書かれていた。ウィルソンは「全会一致でないので不成立」と宣言した[17]。

驚いた仏代表のラルノードは、過半数が賛成したことを指摘した。それに対してウィルソンは、過半数が賛成したことは認めたものの、全会一致でないため委員会の決定としては有効でないと述べた。一度だけ多数決で議事が決したことがあったが、それは連盟本部の所在地についてであり、その場合は議事の内容のため、どうしてもどこかに決めなければならなかったからであったということが想起された。今回の案件では、過半数が賛成したものの、強い反対意見が出されている状況においては、採択されたとは言い難いという説明であった[18]。

「荷物を膝の上に載せる丈けの雅量はないものか……」人種案は白人列強に見向きもされない（『万朝報』1919年4月20日発行夕刊）

セルビア代表のミレンコ・ヴェスニッチは、各国民の平等はまさに国際法の原則であるため、牧野の提案に賛成票を投じたと説明した。一方、セシルは、これら権利に関して、連盟規約は沈黙を守った方が議論を呼ばないので望ましいとウィルソンの肩を持った。ウィルソンは最後に、今採られた票決を、日本代表によって提案された原則に対する非難ととるような者などゆめゆめいないだろうと述べた[19]。

牧野は、この問題にこだわって申し訳ないと断ったうえで、日本の修正案に賛成とした票決の票数を議事録に記すように要求した。そして、次の適切な機会にこの問題を再度取り上げることを牧野が予告して、その日の委員会は終了した。時計は日付をまたいで〇時五〇分を指していた。ウィルソンが居所に戻ったのが午前一時、その後寝室に入ったのは午前二時であった(20)。

日本案否決の情報が日本で報じられるには少し時間がかかった。はじめは情報が交錯しており、『大阪朝日』四月一四日付で「人種平等案可決」と誤った内容の号外を打ったほどであった。これは誤報が至急電で伝えられたためで同紙に限ったことではなく、広く見られた。ただ、否決であったことが広く国内に伝わると、米英に対する批判とパリの日本代表と日本政府の対応に対する批判が噴出した。人種差別撤廃提案の否決は、「我外交の無能にも依る可けれ」とか、「慎重の研究を遂げる事なく漫然本舞台に提出」したからではないかなどと政府を批判し、パリの日本代表の活動も「緩慢なる駆引」で溜め息をつくしかないとされた。そして、人種差別撤廃案が採択されないなか「厭や厭や連盟の仲間入」しても、日本の面目は果たしてどうなるかと嘆くのであった。『報知』のように、「見苦しき失敗」との見出しを掲げ、「確信を以て堂々の争を為すの勇なく、哀訴嘆願を以て一時を糊塗せんとしたる……失敗も失敗」と書くも

「平等以上に世界五大国と優待されて居るのに引き下ッて哀訴的平等案を提出して自分から二進も三進も行かなくして居る日本委員は余程変だぜ」失敗の原因を日本代表のへりくだりと見る向きもあった（『時事新報』1919年4月19日発行夕刊）

のもあった。『読売』も元衆議院議員大石正巳の「人種的差別撤廃をヌキにした国際連盟は無価値……国際連盟は御免を蒙るとサッサと退却するに限る」という談話を掲載した。ここで注意すべきは、このように日本に大義があるという中で、日本の人種差別撤廃提案が、全世界の非白人のためであるという考えに収斂していっている点である。その点は、『東京朝日』の「是れ実に帝国の為めにする私戦にあらずして、世界人類の為めにする義戦たり」という主張に象徴的に表れている。「人種平等」から「国民平等」へと文言が切り替わったことは注目されず、日本人の世論にとっては、あくまで「人種平等」提案としてその後も扱われていくことになる。(21)

日本の国内世論、連盟批判が激化した理由の一つには、日本案が否決された前日に、米国のモンロー主義に配慮した条文を連盟規約に入れることが認められたということもあった。世界全体のことを考えるという建前の国際連盟において、高邁な理想を謳うウィルソンが主張するにしてはあまりに不釣り合いなものであることは明らかであった。日本の世論としては「米国の主張は全

「こちらでもコンナものを出したら巴里会議は認容するだらうか？」米国のモンロー主義は認められても東洋モンロー主義は入れられなかっただろう（『時事新報』1919年4月16日発行夕刊）

部貫徹し帝国の主張は丸潰れとなる次第」と見るのが一般的であった[22]。この点については近衛文麿が次のように痛烈に批判している。

もしそれ国際連盟が人種平等案を排斥してモンロー主義を採用したるの事実に至りては、力の支配という原則の最も露骨なる表現と見るを得べし。思うに人種平等案なるものは、正義に基づきて世界の平和を維持するという国際連盟の精神より見て当然連盟の基礎となるべき先決条件なり。何となれば正義に基づく世界の平和は各国家各民族を不平等の基礎の上に置きては到底これを維持すること能わざればなり。これに反してモンロー主義は国際連盟とは相容れざる性質を有するものなり。何となれば国際連盟はすべての国家を平等に拘束してこそ始めてその効用あるものになるに、独り米国のみがモンロー主義によりて米大陸の問題に対する国際連盟の干渉を許さざるのみならず、連盟規約に基づき締盟各国が活動の義務を生じたる場合にも何らの義務を負担せずというがごときは、明らかに連盟そのものの破壊を意味すればなり[23]。

人種差別撤廃提案が国際連盟規約に組み入れられる見込みは潰えた。しかし、人種差別撤廃問題は、日本代表にとっての別の重要案件である旧ドイツ権益の帰属問題、特に山東省権益の帰属問題を巡って再度現れることになる。

西園寺はいない⁉

三月二日にパリ入りした西園寺は、まず三月五日にフランス留学中から旧知のクレマンソーを訪れた。その後しばらく休息し、最初に講和会議に参加したのは、三月一五日であった。その後は断続的に会議に参加したものの、三月二四日の出席から四月一一日の出席までの間は、姿を見せなかった。その間は、基本的には宿舎に籠り、実際の各種会議には牧野や珍田を出席させていた。実際には日本全権事務所には顔を出していたものの、講和会議の場には二週間を過ぎても姿を現さないため、四月前半には現地のマスコミが、西園寺は実際にはパリにいないのではないかと騒ぎだした。西園寺の所在はアメリカ代表団もつかんでいなかったため、ハウスは、世界中を旅し、日本滞在中に西園寺と面識もあった数少ない代表団のメンバーの一人であるボンサルに、この噂について質問した。ボンサルは、東洋の「親分」は「カーテンの陰」に居ることを好むので、おそらく西園寺は、引き籠りながら、眺望のきく場所からマネキンが踊るように糸を引いているのだろうと私見を述べた。ボンサルの考えでは、それは利害が錯綜する世界に自ら身をもって飛び込んでいくウィルソンよりも、賢明なやり方であった(24)。

西園寺の記者会見の模様（「報知新聞」1919年4月25日発行夕刊）

そうは言いつつもボンサルは、ハウスの言葉に触発されて、牧野に西園寺について質《ただ》してみた。すると牧野は、西園寺はボンサルと会ったことをよく覚えており、体調が回復したら会いたいとのことであった。その後、西園寺側から会いたいと言ってきた。そのことについてボンサルがハウスに伝えたところ、当日、「最後の元老の神殿への巡礼」の前に、ハウスはボンサルを呼び出して注意事項を申し渡している(25)。

それによれば、アメリカ代表団としては、西園寺を牧野らと引き離しておきたいので、機会があれば、牧野や珍田を追い出すように持って行ってほしいとのことであった。ただ、注意事項として、肝心の点、山東問題と人種平等問題については、西園寺から触れない限りは絶対に触れないようにと厳命した。「古き良き日本の日々」についてだけ話し、もし万が一、西園寺がそれらのデリケートな問題に触れてきた時だけ、ウィルソン大統領は、条約や連盟規約はできるだけ簡明かつ簡潔であることが賢明かつ不可欠であると考えている、と伝えるようにと指示した。そこでボンサルが、「抱えすぎる者は、うまく抱きしめない」という「二兎を追う者は一兎をも得ず」に相当するフランス語のことわざを引用すると、ハウスは「まさにその通り」と応じた。そして、人種平等について、「もちろん我々は認めるし、実際公言するが、国の伝統があり、地方の偏見があり、そして労働紛争があり、それらは不幸にも考慮されなければならないのだ」と述べた(26)。

当日、迎えに来た佐分利に連れられてボンサルは、モンソー公園地区の高級アパルトマンを訪問した。いかつい二人の日本人守衛のいる控えの間から、いくつもの空の部屋を通り過ぎ、一番奥で留め置かれ、きちんとヨーロッパ的に衣装を着た秘書に迎え入れられると、そこに和服姿の西園寺が現れた。西園寺は二、三年前と同じ親しみやすさでボンサルに接し、ボンサルを喜ばせた。二人は当時のことをなつかしく語り合った。結局、西園寺が山東問題や人種平等問題について触れることはなかった。会談後、西園寺との会談は何の成果もなかったと詫びるボンサルに対してハウスは、「まったくそんなことはない」と繰り返し、「公が間違いなくパリにいるという事実を確定させた」と労《ねぎら》い、慰めた(27)。

註

(1) *PWW*, vol. 57, pp. 254-257; Bonsal, *Suitors and suppliants*, pp. 198-201
(2) 『日本外交文書　巴里講和会議経過概要』、六〇七〜六〇九頁
(3) 同右
(4) 同右; *PWW*, vol. 57, pp. 259-260
(5) Cecil diary, 11 April 1919
(6) *PWW*, vol. 57, p. 261
(7) David H. Miller, *The Drafting the Covenant*, vol. 2 (New York: G. P. Putnam's Sons, 1928), p. 389
(8) *PWW*, vol. 57, pp. 261-262
(9) *PWW*, vol. 57, p. 262; 『日本外交文書　巴里講和会議経過概要』、六〇七〜六一二頁
(10) 同右
(11) *PWW*, vol. 57, pp. 262-263
(12) 同右
(13) 同右
(14) 同右

（15）*PWW*, vol. 57, pp. 263-264
（16）*PWW*, vol. 57, p. 264;『日本外交文書　巴里講和会議経過概要』、六一一頁
（17）同右
（18）同右
（19）同右
（20）*PWW*, vol. 57, pp. 265-266;『日本外交文書　巴里講和会議経過概要』、六一一頁
（21）『大阪朝日』大正八年四月一四日号外;『報知』四月一五日付夕刊、一七日付夕刊;『読売』四月一六日、『東京朝日』四月一七日
（22）『東京朝日』大正八年四月一五日
（23）近衛文麿『最後の御前会議／戦後欧米見聞録』、二二四頁
（24）Bonsal, *Suitors and suppliants*, p. 229
（25）Bonsal, *Suitors and suppliants*, p. 230
（26）Bonsal, *Suitors and suppliants*, pp. 230-231
（27）Bonsal, *Suitors and suppliants*, pp. 231-234

第六章

山東問題と人種差別撤廃提案

三巨頭と会談

連盟規約の審議が終了し、議題の中心は、領土問題へと移っていった。日本は山東の旧ドイツ権益の引き渡しを望んでいたが、ことは単純ではなかった。中国は当然旧ドイツ権益の返還を望んでおり、ウィルソンは中国寄りの立場であった。一方、中国は日本との間に日本の要求を認める条約に調印していた。また、英仏は大戦中に日本海軍派遣を求め、その見返りに、日本の希望を認める秘密協定を結んでいたのである。似たような構図が他にも見られた。イタリアと英仏が結んでいた密約について、ウィルソンが民族自決の立場から反対し、五大国の一つであるイタリア代表が話し合いを拒否してしまったのである。山東問題について同様のことが起こり、日本代表が国際連盟への参加を拒否した場合、五大国の二つが欠けてしまうことになる。なんとしても理想的な形での国際連盟成立を目指すウィルソンにとって、それは避けたいことであった。

四月二一日午前、ロイド＝ジョージとクレマンソーがイタリア代表と話し合う必要が生じたため、その間、ウィルソンは牧野、珍田と会談した。旧ドイツ領に関する扱いについて、日本も他の列強と同じ扱いを受け入れるべきとのウィルソンの説明に対して、日本は頑なに受け入れなかった。日本としては、三大国が戦争中の条約を尊重しないなら、日本は調印しないと語った。それで結局、三巨頭は翌日午前、日本代表と直接会うことになったのである。この日、牧野と珍田は、ランシング国務長官をも訪問しているが、中国に同情的な長官からは、主張の正義を日本は示すべきであり、日本はそれをできておらず、その能力があるかどうかすら疑わしいと率直に言われただけであった[1]。

翌四月二二日の三巨頭会議では日本全権が呼ばれ、山東問題が話し合われることになり、牧野と珍田は、話し合いが行われるウィルソンの滞在先へと赴いた。この時にはすでに日本全権のもとには、山東に関する要求が認められない場合には、調印を拒否するようにとの訓令が東京から届いていた。一方、人種差別撤廃提案については、拒否された場合に調印を拒否すべしという指示はなかった。ただ、それによって、当初から人種差別撤廃問題が軽視されていたということにはならない。人種差別撤廃案のもつ意味合いや重みは、会議の進行につれて変化したのである[2]。

午前一一時から三巨頭会談が始まり、三大国首脳がドイツとのやり取りなどについて少し話し合った後、牧野と珍田が招き入れられた。まずクレマンソーがウィルソンに向かって、戦争中に日本と結んだ条約を今朝読み直したこと、それは拘束力があること、そして英国も同様であることを説明した。次に牧野が発言した。牧野は、これまでの経緯を日本の立場から説明する声明文を読み上げ、日本が戦争中に果たした骨折りを斟酌して、日本の名誉を

「月が曇るばかり……」人種案の見通しは暗い（『万朝報』1919年4月23日発行夕刊）

「何もかも流してしまふ……」人種案は流れていってしまった（『万朝報』1919年4月24日発行夕刊）

損なわないような形で日本を公平に取り扱ってくれるよう依頼した(3)。ロイド＝ジョージは、山東半島へも委任統治制を適用することをほのめかした。珍田はすかさず、委任統治制は、自らを統治できない人々に関する制度であり、山東には当てはまらないとはねつけた。続けて、牧野は、日本と中国の条約は実行されなければならず、その存在が認められないとなれば、日本にとっては極めてゆゆしき問題であると発言した(4)。

ウィルソンは、クレマンソーとロイド＝ジョージが自分たちのコミットメントによって縛られているため、完全に自由に判断できる立場にあるのは自分だけであると宣言した上で、思い切った提案をした。中国に軍隊を駐留させるなどの治外法権をもつすべての国が、それらの権利を一斉に放棄してはどうかと提案したのである。そうすれば中国が列強と同じ立場に立つことができると説明した。中国には燃え上がりかねない要素が山積しており、いつの日か消火不能になる火を起こさないように、警戒しなければならないとした。しかし、そのような抜本的な提案に日本だけでなく、英仏が同意することもあり得なかった(5)。

ウィルソンは、日本全権の二人に、中国代表と会いたいかと尋ねた。牧野は、中国代表の主張を聞く権利はあるが、彼らと討論したくはないと答えた。それに対してロイド＝ジョージは、我々抜きで中国人と会いたいのか、それともここで会いたいのかと尋ねた。牧野は、中国代表と討論したくないと繰り返した。珍田はいつ中国全権を呼んでいるのかを尋ねた上で、自分たちは原告としてあなたたちの前に現れたくないと述べた。日本全権は三巨頭の前で中国全権と同席させられ、責められるという悪役めいた立場に陥るのを嫌っていた(6)。

それに対してウィルソンは、中国人はあなたたちのことを少し恐れているので、中国全権からは、日本人のいないところで個別に意見を聴取する方がいいと考えている旨答えた。その方が、中国全権が自由に話せるというのであった。同席させられることを好ましくないと考えていた珍田は、「それは望ましい。我々が望まないのは、彼らとの直接の議論です」と応じた。牧野は最後に、膠州湾《こうしゅう》の領土の中国への返還は、日本によって直接なされなければならず、それを日本政府は不可欠と見なしていると付け加えた。日本は山東権益を中国に返還するといいつつも、いったん日本が受け取り、日本が中国に引き渡すことにあくまでこだわったのである(7)。

三巨頭、中国全権とも会談

三巨頭会談は午後四時に再開された。まずロイド＝ジョージが、午前の会議終了後にオルランド首相と会った時の話を始めた。「未回収のイタリア」を巡って会議への出席を拒んでいるオルランドに、そのままではドイツに対して、イタリアは要求を出せなくなるぞとロイド＝ジョージが言うと、オルランドは動揺したようだったという。ロイド＝ジョージは畳みかけるように、妥協が可能でなければ、事態はもっとひどくなり得ると述べ、暗に妥協を促した。イタリアがこのまま欠席を続けると、四大国が三大国となり、世界を代表しているという体裁をとるには好ましくなかった。三人は少しイタリア問題について話し合ったのち、顧維鈞と陸徴祥が招き入れられた。[8]

まずウィルソンが口火を切って、午前中に日本代表と面談したことと、日中間と日英仏間に合意があるという、これまでの事態の推移に対する自らの理解を述べた。ロイド＝ジョージは、日本の要求に従った合意を結んだ言い訳として、日本と合意を結んだ時は、戦況が厳しく、イギリス側の軍艦はすべて大西洋におり、日本に頼らざるを得ない状況にあったと述べた。続けてウィルソンは、顧維鈞が前回、中国のドイツへの宣戦布告をもってドイツとの条約を無効にすると説明したことを想起させ、しかしながら、その宣戦布告は、日本との条約を無効にするものではないと指摘した。[9]

顧維鈞は、それに対し、日本との条約は中国に対して突き付けられたある種の「最後通牒」によるものだと反論した。ロイド＝ジョージが、「最後通牒」とは何だと質問した。顧維鈞は、日本が突き付けた二十一カ条要求に対して返答を渋る中国に対し、日本が武力行使を示唆したのだと答えた。そして、困った中国がその時助けを求めようにも、ヨーロッパは戦争中だったので助けが得られなかったのだと説明した。ロイド＝ジョージは、アメリカに助けを求めなかったのかとさらに尋ねた。ウィルソンはすかさず、アメリカは日本に抗議した旨答えた。顧維鈞は、日本は交渉を秘密にするよう中国を脅し、そのためアメリカは一部しか知らされていなかったと反論した。日本の脅しによって調印せざるを得ず、通常の自由意思で結ばれる条約とは異なると説明したのである。また、日本軍は山東半島に駐留しており、日本はドイツに比べ中国に地理的に近く、満洲にも地歩を固めており、北京は「悪の下顎」に挟まれているようなものだと嘆いた。[10]

会話の中でウィルソンは、午前の日本代表との会談で、自分はあたかも中国利益を代表しているかのように話そうと努め、問題解決の重要性は極東と世界の平和維持にあると主張したと述べた。そして、中国が平等に取り扱われるように、門戸開放がすべての国になされるようにすることが不可欠なのだと自説を繰り返した。ウィルソンがこのように顧維鈞に寄り添った発言をしたのも、アメリカは英仏と異なり、戦中に日本と山東権益に関して約束を交わしていなかったことに加えて、もとから中国寄りの姿勢をとっていたことにあった[11]。

何とか三巨頭の助けを得たいと、顧維鈞は脅しめいたことも述べた。中国は現在岐路に立たされており、ほとんどの国民は西洋列強との協力を望んでいるが、「アジア人のためのアジア」を好む一派もおり、講和会議で希望が通らなければ、反動が強くなるのではないか恐れると述べたのである。

顧維鈞の譲歩しようとしない姿勢に、痺れを切らしたロイド＝ジョージは、もしドイツが戦争に勝利していたら、ドイツが世界の支配者となっていただろうと述べた。そうなれば山東省でドイツが力を振るう状況が続いていたわけで、英仏が勝利してこうして話し合いが行われている現状のほうがよほどましだというのであった。ウィルソンも続いて、ドイツの皇帝ヴィルヘルム二世の有名な黄禍論を皆が覚えているように、カイザーはあなた方の人種の敵であったと述べて、ドイツの脅威が取り除かれたことを評価するよう促した[12]。

ここで中国代表団は退席した。ウィルソンは、とにかく日本を国際連盟に参加させるために、我々はできるだけのことをしなければならないと述べ、戦中に結ばれた条約で規定された義務が尊重されないなら、ヴェルサイユ条約には調印しない、すなわち国際連盟には加盟しないと日本代表が述べたことを想起した。ウィルソンは中国保護の姿勢よりも、世界を平和にする世界大の試みである国際連盟を成功させることを大事に思っていたのである。また、そのことを、東洋と西洋の裂け目を広げないようにしたいと表現した。ロイド＝ジョージは、日本の二十一カ条要求のやり方を「破廉恥」と表現したものの、ウィルソンに同意し、自分たちの存在なしには、今でも中国はドイツ人のなすがままであったことを中国代表は十分わかっていないと不満を述べた。このロイド＝ジョージの発言をもって、この日の極東問題に関する議論は終わりとなった[13]。

二五日の三巨頭会談

二五日夕刻に行われた三巨頭会談でも、山東問題が話し合われた。ウィルソンは、イタリアのフィウメ問題と同じくらい、困難な問題であると感じていた。ロイド＝ジョージは、イタリア代表と比べて日本代表の方がずっと断乎としているし、日本人ははったりを言わないと応じた。ウィルソンが、重ねて英仏の両首相に、日本との条約は、ドイツ権益の日本への移譲を認めているのか確認すると、ロイド＝ジョージもクレマンソーも肯定的に答えた。ロイド＝ジョージは、バルフォアが日本代表に対して、「我々はドイツ権益の移譲を確約するが、あなたがたが膠州湾を中国に戻すことを提案するその条件に付いて我々と話し合うように求めている」と言ってはどうかと提案していることを明かした。ただ、それに対しては、ウィルソンもロイド＝ジョージも日本はどうせ断ってくるだろうと考えていた。ウィルソンは戦争中に結ばれた日中間の条約を是認するつもりはなかった。なぜなら、それは日本側の暴力と脅しによって結ばれたものであり、ドイツが持っていたよりも多くのものを日本に与えることになるからと考えたからであった。ただ、さすがのウィルソンも戦争中の日本の貢献については認めないわけにはいかなかった。日本の介入がなければ、いまだに膠州湾はドイツのものだったであろうし、英代表団書記長のモーリス・ハンキーが付け加えたように、日本の活動がなければ豪州やニュージーランドの軍隊が安全に太平洋を通過できなかったのは事実であった。(14)

加えて、日本が中国における外国人の権益を放棄させようとしていることも懸念材料であった。ロイド＝ジョージは、日本が山東省で特殊権益を維持する一方で、イギリスが揚子江流域の権益を放棄することには同意できないと述べた。そこで彼は持論として、「中国には四億人おり、日本によって軍事的に組織されたら、恐るべき集団を構成するだろう」と述べた。このような、莫大な数の中国の人口を軍事的に優れた日本人が教練し、白人国に立ち向かってくるという考えは、一八九〇年代にドイツのヴィルヘルム二世が黄禍論を唱えた頃からの一つの決まった表現であり、そのような黄禍論的考えをイギリスの首相も共有していたことがここからわかる。ロイド＝ジョージはまた、「私は先日牧野が人類の権利と国際連盟について、完璧な巧みさとある種の軽蔑を伴って、西洋の用語法を使いこなすのに感じ入った。日本人というのは実に極東のプロシア人だ」とも語っている。同じ戦勝国とはいえ、このような考えをもった首脳たちを、牧野らは相手にして交渉していたのである。(15)

ロイド＝ジョージの日本に関する発言に対して、ウィルソンは「彼らの国はその成長しつつある人口に比して、あまりに小さく痩せているということを覚えておかなくてはならない。彼らは朝鮮や満洲に場所を見つけているが、それでは十分ではない」と述べた。この発言から、ハウスを通じて石井らが伝えていた日本の実情がウィルソンにしっかり伝わっていたことがわかる。ウィルソンは、膠州湾を中国に戻す条件を日本と話し合わねばならず、日本に移譲される権益は、ドイツが持っていた範囲を超えてはならないと念を押した。結局、この山東問題についてはバルフォアに考究してもらうことに一同合意している[16]。

ここを正念場と感じたのか西園寺も動いている。四月二五日付で旧知のクレマンソー宛に書翰をしたためたのである。その内容は、山東問題は日本にとって殊更重要であるので、解決を急いでもらいたく、その進捗も逐一知らせてもらいたいというものであった[17]。

講和会議脱退あるのみ

この頃、日本の国内世論は日を追って高まっていた。四月二四日には、第三回人種的差別撤廃期成大会が帝国ホテルで開催され、両院議員をはじめ有力者が二〇〇人以上集まっていた。国民外交同盟会の田鍋安之助が開会の辞を述べ、杉田定一元衆議院議長が座長となり、「日本国民は人種的差別待遇撤廃を認めざる国際連盟に加盟せず」という決議を満場一致で可決した[18]。『大阪毎日』も同様に次のように国際連盟脱退を説いた。

人種案の運命既に彼が如く、山東問題の主張亦貫徹する能はずとせば、日本の対面は丸潰れとなり、参戦の意義は没却さるべし、之れ豈、日本の堪ふる処ならんや［……］日本は講和会議を脱退するの一事あるのみ、之れ真に已むを得ざるなり。[19]

この間、松井はフランスのマスコミから、日本の要求が受け入れられない場合についての質問を受けていた。松井は、そのような場合は「極めて重大なる決意を要する」と答えるということがあった。[20] それを受けて各紙は大きく扱った。『ル・マタン』紙は、四月二十六日、「日本は要求が入れられなければ、講和条約にも連盟規約にも署名しない」と題する記事を掲載した。[21] これは一面に載ったためクレマンソーをはじめ、フランス語のわかる関係者は目にしたはずである。

確約を求める日本

同じ四月二六日、牧野はバルフォアと面談し、日本の山東鉄道占領は一時的なもので、日本の要求はあくまで経済的なものであると述べた。一方、事態を憂慮したウィルソンは、米代表団メンバーとのミーティングにおいて、ランシングに日本代表と会って、妥協するよう説得することを依頼した。そのためランシングは珍田に来訪を求め、同日夜九時、珍田はランシング国務長官のオフィスを訪問している。珍田の見立てではランシングは中国寄りで、それは会うたびに「其都度極メテ冷淡ナル態度」をとってきたことからも明らかに思われた。この時は、元国務省極東部長でカリフォルニア大学バークレー校教授の米代表団極東問題顧問エドワード・トマス・ウィリアムズも同席した。ウィリアムズは、上海の米国総領事館の通訳を務めたこともあるなど中国滞在歴が長く、日本代表からは「支那贔屓」と見なされている人物であった[22]。

ウィルソンの意を受けたランシングは、「露骨無遠慮ナル語調」で、山東のドイツ権益はそもそも暴力によって奪ったものであり、それを日本が譲り受ける場合、一四カ条に反することになる懸念があると述べた。また日中条約において、山東権益還付の期限や方法も規定されておらず、不安であると迫った。珍田は、本件は日本の「威厳栄辱ニ関スル重大問題」となっていることを説明し、満足のいく解決策を含まない講和条約には調印できないと強い態度を崩さなかった。ランシングの記録では、その時、珍田は「一ポンドの肉」という言葉まで用いて中国の権益の無条件移譲を要求したという。翌二七日にも牧野はバルフォアを訪問し、国際連盟規約には人種差別撤廃が明記されておらず、しかも、山東問題もどうなるかわからないと述べ、総会までに山東問題について確約が欲しいと繰り返し述べたという[23]。

ヒューズの決意

一方、ヒューズはこの期に及んでも攻撃の手を緩めてはいなかった。総会を翌日に控えた四月二七日、AP通信の記者に対して、改めて日本の修正案に対して何が何でも反対であるという演説をぶったのである。

オーストラリアは、これまで長く維持してきた政策、我らの存在にとって不可欠であり、そして、アメリカがモンロー主義を守ってきたくらい熱心に擁護してきた政策の根幹を攻撃することの提案を受け入れることはできない。［……］我々は、この問題のすべての側面において、我々の主権を害したり、疑義を唱えるような、連盟規約や平和条約へのいかなる文言の挿入に同意するものではない。連盟の主要な原則の一つは、いかなる国の内政へも介入はなされないということである。連盟加入をもっていかなる国もその国の安寧に不可欠な事柄において主権を放棄することはないのである。提案された修正案は、一つの加盟国の扇動のもと連盟によって加盟国の国内政策が変更されることになるような原則を打ち立てるための行動と私は見なさざるをえない。その修正案は、形の上からはいかに無害に見えても、移民や帰化［……］といった問題に関するコントロールを連盟に与えることを確かに狙っている［……］もちろんこの修正を唱える人たちは、単なる原則の承認以上のものは望んでいないと我々に語る。実際の行動は考えていないと彼らは言う。このように保証されてもオーストラリア国民とこの提案の間の折り合いを付けることはないと私は思う。私を満足させないことは確かだ。この提案はなにがしかを意味するのか、それとも何も意味しないのか。何も意味しないならどうして挿入するのか［……］もし規約に挿入することを望む文言が何も意味しないなら、規約自体が何も意味しないことになる［……］私は、力の支配に代えて法と権利の支配をもってする試みを支持する者であると宣言するのに何らためらいはない。(24)

このヒューズの記者に対する発言を耳にした者は、ヒューズの固い決意を感じ取ったはずである。翌日の総会でもし牧野が人種差別撤廃案を蒸し返した場合、ヒューズは過激な反対演説をする。

るに違いなかった。そんなことにでもなれば、ウィルソンにとって偉大なことを達成する晴れの舞台となるはずの明日の総会が、悲惨なものになりかねなかった。日本が不満を述べて退席した場合、イタリアの出方次第では五大国のうち三大国のみの参加となりかねないし、それ以上にウィルソンにとって困ったことに、国際連盟があたかも内政干渉の力をもち、移民に関する権利や帰化権にも口を出せるかのような印象を与えるヒューズの議論が明日の総会で展開されれば、米国内、とくに西海岸は大騒ぎとなり、連盟加盟に対する米国議会での批准は望めなくなるに違いなかった。

註

（1）Robert Lansing, *The Peace Negotiations: a personal narrative.*（Houghton Mifflin, 1921）, p. 254
（2）Arthur S. Link ed., *The deliberations of the Council of Four*（*March 24-June 28, 1919*）, vol. I（Princeton UP, 1992）, pp. 317-328
（3）同右
（4）同右
（5）同右
（6）同右
（7）同右
（8）Link ed., *The deliberations*, vol. I, pp. 328-336
（9）同右
（10）同右
（11）同右
（12）同右

(13) 同右
(14) Link ed., *The deliberations*, vol. I, pp. 378-380; *PWW*, vol. 58, pp. 129-133
(15) 同右
(16) 同右、*PWW*, vol. 58, pp. 129-133
(17) *PWW*, vol. 58, p. 128
(18) 『読売』大正八年四月二五日
(19) 『大阪毎日』大正八年四月二六日
(20) 松井慶四郎『松井慶四郎自叙伝』、九七頁
(21) *Le Matin*, 26 Avril 1919
(22) 『日本外交文書　巴里講和会議経過概要』、pp. 741-743
(23) 『日本外交文書　巴里講和会議経過概要』、pp. 741-743; Robert Lansing, *The Peace Negotiations*, pp. 254-255
(24) *Chicago Tribune*, 28 April 1919

第七章

四月二八日の攻防

バルフォアの覚書

四月二八日月曜、この日は冷たい東風の中、季節外れの雪が降っていた。午後には講和会議総会が予定されており、予定通り運べば、国際連盟設立が宣言されることになっていた。ただ、日本代表が人種差別撤廃の三度目の提案をするのではないかとの噂が流れていた。その日の午前中、三巨頭はウィルソンの宿舎に集まり、総会の打ち合わせを行っていた。

まず、バルフォア外相が日本代表と面談した時の模様を報告した覚書をロイド＝ジョージが回覧した。それは二日前の二六日土曜に行われた会談について翌二七日にまとめたものであった。この覚書に基づいて、ロイド＝ジョージがかいつまんで説明した。日本代表は山東全体からの軍事的撤退を提案していることを強調し、山東省における中国の主権を回復する意図があること、日本軍による鉄道の占領があったとしても一時的であること、そして日本側の要求は本質的に経済的なものであるということが主な内容であった。日本の国家的プライドが、日中間の条約の修正についての介入を妨げているものの、日本としては列強との合意を望んでいるとロイド＝ジョージは説明した(1)。

英仏首相は妥協に傾いていたが、米大統領は不満であった。ウィルソンは、日本人が一時的な軍事占領権を行使しないことを条件に、以前ドイツ人に与えたすべての権利を日本人に残すと言えるだろうかと皆に問うた。日本に贔屓して中国に不正義なことをするという考えはたやすく米国世論に火をつけるだろうし、最近の知らせでは、米国世論はイタリアに対してウィルソンが強い態度に出たことに好感を持っており、日本に対しても同じような態度に出ることを期待していると述べた。ロイド＝ジョージは、日本は大国であり大国として扱わねばならず、日本と話し合わねばならないと述べた。クレマンソーもそれに同意した。ウィルソンはそういうことならばと、明日二九日に会うことを提案した。(2)

バルフォア登場

そこにバルフォア外相が姿を現した。バルフォアは、土曜に彼が牧野と珍田の二人と会談した内容については覚書の通りだとしたうえで、新たな情報をもたらした。それによると、昨日の日曜日午後七時に牧野が訪ねて来たというのである。バルフォアによると牧野は、非常に注意深く、しかし完璧な明晰さをもって、日本が要求全体に対する決定を望んでいると示した。牧野は、日本は平等な扱いに対する主張も認められていないにもかかわらず、国際連盟への合意を求められていると指摘した上で、厄介ごとは起こしたくはないが、日本の世論は、この問題を大いに気にしていると述べた。もし日本が山東問題で阻止され、国際連盟に関しても阻止されるなら、その立場は非常に深刻なものになるだろうとした。つまり、山東問題と人種差別撤廃問題の両方で、日本の希望が受け入れられないのは困るというのである。そして、二八日午後の総会で国際連盟が成立する前に山東問題の決定がなされるのが重要と迫った。月曜午後と期限を切ったのは、月曜午後に予定されている総会で、日本が何の不満も表明することなく国際連盟への加盟が決まってしまえば、人種差別撤廃問題に対して何も言うことができなくなってしまうからであった。牧野の発言について、バルフォアは、もし、日本が山東について主張しているものを得たならば、総会において日本全権は、人種問題には深入りせずに満足すると受け取ったと報告した。逆に言えば、牧野の発言は、山東問題について午後の総会までに確約が得られなければ、人種差別撤廃提案が受け入れられていないことを理由に国際連盟に加わらないと取れなくもないものであった。(3)

ロイド゠ジョージは、今日の午後までに日本が希望するような返答を得られなかった場合、どうするだろうかと尋ねた。バルフォアは、人種平等原則に対する拒否について抗議するとは思うが、山東問題について満足できない場合は、彼らはさらに一段と進むだろうと述べた。ウィルソンは、彼らは国際連盟に加わらないというところまでいくだろうかと、一番気にしている点を尋ねた。それに対してバルフォアは、もし彼らが膠州湾の問題で受け入れ可能な解決策を期待するなら、そこまではいかないでしょうと答えている。(4)

さらにウィルソンは、中国を見捨ててアメリカには帰れない、もし日本人が膠州湾を諦め、軍事的優位なしに経済的権利だけで満足するということなら、日本人がドイツ人よりも良い条件を中国に与えているとアメリカ人も感じるだろうと述べた。それに対し、バルフォアは、ウィルソンを説得するかのように、それが日本人の約束するところですと返した。ウィルソンは、アメリカの専門家はそうは見ていないと懸念を表明した。バルフォアは、一九一五年時点の日本の政策が何であれ、日本の現政府は当時とは変わっており、軍部はもはや権力の座にはなく、我々が相手にしている連中は、中国にちゃんとした扱いを与えると西洋列強と同意する用意ができていますと説明した。(5)

このあと、すこし二人のやりとりは続いたが、その間、電話でランシングから牧野らの決意の強さをウィルソンは聞き、結局折れた。バルフォアはウィルソンに対して、すべての主権を放棄するという彼らの意思表明に満足し、日本による鉄道の軍事占領と警察の組織化にのみ反対する旨を、彼らに手紙で伝える権限を自分に付与するよう依頼した。ウィルソンは不承不承同意した。日本は経済的権益だけでは満足しないだろうという国務省の分析を手にしながら、日本は軍事的な野心を捨て経済的な利権だけで満足するだろうし、日本の政府も二一カ条要求当時とは変わっているから、信頼できるだろうというバルフォアの楽観的見方を、ウィルソンは最終的に受け入れたのである。すぐさま、バルフォアが牧野宛書簡を作成した。それは次のような内容であった。

一九一九年四月二八日

親愛なる牧野男爵

私の誤りではないのですが、今日の会議について、特にご関心をお持ちの山東問題において誤解があったようです。

私は途中までその会議に参加していなかったのですが、参加したとき偶然、山東問題を明日に先延ばしし、そこにあなたの出席をお願いしようとしているのを耳にしました。この決定を聞くとすぐに私はウィルソン大統領の家に赴き、あなたが今日の午後に総会で国際連盟に関する議論が始まる前に、山東問題に決着をつけるべきだとお考えだと再度説明しました。残念ながら米仏英の同僚たちとこの問題について話し合うようあなたに依頼するにはその時はもう遅すぎました。しかし、昨日私がお読みしたペーパーの補足として私が述べたことを聞いた後で、もし私があなたの見解として彼らに示したものが、彼らは疑っているわけではありませんが、あなたのものであるならば、山東問題についての日中間の恒久的な取り決めに関して彼らは納得している、とあなたに伝える権限を私は与えられました。彼らに繰り返したように、これらの取り決めの要諦は、ドイツの権利が日本に譲渡されたのち、日本は租借地全体を完全な主権が伴った状態で中国に返還するということ、日本が保持する権利は、私の覚書に列挙されている経済的権利のみであること、そして、日本は鉄道料金、港湾使用料、その他国家間の関連事項において不当な差別が行われないようあらゆる予防措置を講じることを提案することです。すなわち、門戸開放政策が、文面にあるのと同様に精神においても十全に実行されるべきということです。

あなたの同僚が不安を表明した唯一の点は、線路の警備と済南の守備に関する一時的な取り決めでした。これらは、彼らが指摘したように、単に中国の主権に対する干渉であるだけでなく、ドイツが山東の取り決めのもとで主張できる限度を超えた干渉でした。彼らは、この山東問題の比較的重要でない側面について、あなたが明日一一時に話し合うことに同意することを望んでいました。総会が山東に関する話し合いに先行して開催されるため、あなた方が不便を強いられていることは、彼らも十分承知しており、大変遺憾に思っています。

しかし、ドイツ租借権の明け渡しに関連する主な疑問や困難はすでに満足のいく形で解決されているように見える以上、まだ困難な問題を引き起こしていると思われる、純粋に一時的な取り決めに関する話し合いの延期は避けられないことをお許しいただけると期待しています。

敬具　A・J・バルフォア(6)

その書簡はすぐさま日本代表団に届けられた。つまるところ、ドイツ権益はいったん日本に移譲され、それから中国に返還するということを認めるという、まさに牧野が望んだ内容であった。バルフォアからの書簡が届けられたときのことを、竹下勇が日記に次のように記録している。

午食后全権室に於てバルフォーア氏より膠州湾問題に付彼がウイルソン、クレマンソー、ロイドゼージと会見により略我要求を容るゝことを承諾せる旨書信にて通知す。之を見る。尚牧野、珍田両大使の説明あり(7)。

ただ、この時の模様を記した日本側の記録は、管見の限りではこの竹下日記の記述のみである。バルフォアからの書簡やその写しも日本側の記録にはない。米国議会図書館のウィルソン文書と英国国立公文書館には残っているにもかかわらず、である。

四月二八日の総会

午後三時、仏外務省時計の間において総会は始まった。午前中の雪は雨へと変わっていた。議長のクレマンソーが開会を告げ、まずウィルソンが連盟規約案を説明した。ウィルソンは、前回の総会に提出した規約案と比べて、大きな変更はなく、用語の変更が主で、それも内容をより明確にするためと前置きしたのち、それぞれに修正点について第一条から詳細に説明した。モンロー主義についての第二一条については、「第二一条は新しいものです」と一言述べただけであった。(8)

その後、ウィルソンの次の発言者にクレマンソーが指名したのは牧野全権であった。牧野は、二月一三日の国際連盟委員会に遡って日本提案の経緯を説明し始めた。

余ハ最初二月一三日国際連盟委員会ニ文化ノ程度進ミ連盟員トシテ十分資格ヲ有スルモノト認メラルル国家ノ人民ニ対シテハ其ノ人種或ハ国籍ノ如何ヲ論セス均等公平ノ待遇ヲ与フルコトノ主義ヲ包含セル連盟規約修正案ヲ提出セリ(9)

次に提出した理由として、人種問題が原因となって不満が抱かれ危険な状態になるかわからないので、連盟規約に取り込むことが望ましいと考えたと述べた。その上で次のように述べて、デリケートな問題であることは承知しているので即時実行を求めているわけではないと強調した。

余ハ本問題カ極メテ機妙且ツ錯綜セル問題ニシテ深甚ナル感情ノ発動之ニ伴ウモノナルニ付此際直ニ理想的平和主義ノ実現ヲ計ラムトスルモノニ非ス〔……〕換言スレハ該条項ハ関係各政府及ヒ人民ニ於テ一層詳細ニ誠意本問題ヲ考査シ公平順応ノ精神ヲ以テ其ノ解決方法ヲ案出スルニ至ラムコトヲ慫慂セムトスル一ノ勧告ノ積ニテ提議セルモノナリ(10)

すなわちこの問題について、人々の関心を喚起し、解決策を考えるよう促すための「勧告」であるとしたのである。

続けて牧野は、加盟国の国民は命をかけて防衛する義務を負うのであろうから、加盟国民が他の加盟国民と対等の立場を求めるのは当然であるとつづけた。

国民各自ニ於テハ自己ノ生命ヲ賭シテ迄モ防御セムトスル人民ハ均等ノ立場ニ置カレムコトヲ希望シ且ツ之ヲ要求スルハ蓋シ当然ノ数ナリ然レトモ吾人ノ提唱セシ修正案ハ遂ニ委員会ニ於テ採用セラレサリキ(11)

しかし、二月一三日の委員会では採択されなかったと牧野は述べ、話は四月一一日の顚末へと移っていった。四月一一日には、国民平等の主義を認めるという文言を前文に挿入するというところまで妥協し、多くの賛同を得たものの採択されず、それゆえ、当初の提案として次の案文を述べた。

「国民平等ノ主義ハ国際連盟ノ基本的綱領ナルニ鑑ミ締盟国ハ連盟員タル総テノ国家ノ人民ニ対シ其ノ人種及ヒ国籍ノ如何ニ依リ法律上又ハ事実上何等ノ区別ヲ設クルコトナク一切ノ点ニ於テ均等公平ノ待遇ヲ与フヘキコトヲ約ス(12)」

そのうえで、国際連盟を成功させるためには、各国政府がそうさせるのではなく、各加盟国の国民が、国際連盟の理想を受け入れることが重要であるが、平等公平に扱われないということになると加盟国民の動揺を招くと述べ、「好意公平並ニ道理ノ健実確固タル基礎」に国際連盟は基づかなければならないとした(13)。

牧野の強い調子に聴衆が耳をそばだてたその時、牧野は、「然リト雖吾人ハ敢テ此ノ機会ニ於テ我カ提案ノ採用ヲ迫ルモノニ非ス」と発言したのである。この場で人種案を追求しないというのである。これは英米首脳が待ち望んでいた発言であった。牧野は最後に、今後も平等主義が採用されるよう努力を継続すると述べて発言を終えた(14)。

牧野が発言を終えるとすかさずロイド＝ジョージ首相は、立ち上がって牧野の元へ近づきこれを祝した。牧野の演説は四月一一日のもの同様、素晴らしいものと欧米の代表団にも響いたようで、多くの関係者が称賛している。米代表団のショットウェルは、「雄弁且つ威厳のある」と評した(15)。

その後、各国代表が思い思いの発言をした。ブリュッセルを国際連盟所在地として強く推していたベルギー代表のヘイマンスは、ジュネーブを受け入れる演説をした。ウルグアイ代表はフランス語で賛成演説をしたし、パナマ代表もフランス語で長い演説をした。これはほとんどの人は聞いていないようであった。ホンジュラス代表の演説に至っては、スペイン語で行われたため、多くの人が理解できなかったが、翻訳はされなかった。フランス代表のブルジョワに発言権が移ったときは、ブルジョワが同じことを繰り返しがちで話が長いことはここ数カ月で参加者の誰もが知っていたので、多くの参加者が内心失望した。事前にこの日、発言することをブルジョワに約束してそのことをすっかり忘れていたクレマンソーは、目を閉じた。ウィルソンはうんざりした様子で椅子に倒れこみ、バルフォアは天井を眺めた。ハウスに至ってはその顔が「みもの」であったとある参加者が書いているほどであった(16)。

ブルジョワは一〇分ほど話したところで、一息置いて大量の原稿に目を落とした。クレマンソーはそこを見逃さなかった。途中であることを気が付かないふりをして、議長権限で演説を終わったものとしたのである。拍手に包まれたブルジョワは唖然として着席するよりなかった。ただ、公式の議事録にはブルジョワの長い演説が整然と、あたかも全文なされたかのように記録されている。そのからくりは、クレマンソーの副官アンドレ・タルデューのハウスに向かった一言からわかる。タルデューは、『米議会議事録』という媒体を通して、なされなかった演説を印刷するというワシントンで行われている習慣がフランスへ導入されるのを我々は目の当たりにしたのです」と囁いたのである。それに対してハウスは答えなかったが、とてもうれしそうだったという。かくしてわずかな修正を経て、規約案は承認されたのであった(17)。

その時の模様を目撃した近衛文麿は次のように書いている。

　次に議長は我が牧野男を呼べり［……］男はまず国際連盟規約中に人種の相異に基づく差別的待遇を撤廃すべしとの条項を包含せしめんとする日本の修正案が、前後三回委員会に提出せられて、ついにその承認を得ること能わざりし顚末につき縷述せり［……］満場は固唾を呑んで男の一言一句も聞き洩らさじとばかりに傾聴せしが、ついに男の口より「吾人はこの提案が今日ここにて、ただちに採用せられるべきことを強いて求めざるべし」の語を聞くに及び、始めて安堵の胸をさすりしごとかりき。またかの全力を傾けて人種案の粉砕に力めたる豪州首相ヒューズ氏の面上には、この時得意の色の輝けるを見逃がす能わざりき。男はなお最後に左のごとく言えり「吾人はこの際において次のごとく宣言するをもって吾人の義務なりと思考す。すなわち日本の政府及び人民は彼らの正当なる要求がついに委員会の容るるところとならざりしことをもって深く遺憾とし、今後なおこの提案が国際連盟によりて採用せらるるに至るまでこれを主張してやまざるべし」と。[18]

註

（1）Link ed., *The deliberations*, vol. I, pp. 396-397; *PWW*, vol. 58, pp. 177-181
（2）同右
（3）Link ed., *The deliberations*, vol. I, pp. 399-401
（4）同右
（5）同右
（6）*PWW*, vol. 58, pp. 183-184
（7）『海軍の外交官　竹下勇日記』（芙蓉書房、一九九八年）、四六九頁
（8）*PWW*, vol. 58, pp. 199-200
（9）『日本外交文書　巴里講和会議経過概要』、七七二～七七四頁
（10）同右

(11) 同右
(12) 同右
(13) 同右
(14) 同右
(15) James T. Shotwell, *At the Paris Peace Conference* (Macmillan, 1937), p. 296
(16) Bonsal, pp. 211-213
(17) Bonsal, pp. 211-212; Miller, *My diary*, vol. 1, p. 278
(18) 近衛文麿『最後の御前会議／戦後欧米見聞録』、二〇四～二〇五頁

第八章

余波とその後

ランシングの失望

中国に対する門戸開放を旨とし、日本に批判的であったランシングは、午前中の三巨頭が日本に対して許した妥協を、米国務長官でありながらウィルソンから知らされないまま、午後の総会に臨んだ。そこで彼は、人種差別撤廃提案を追求しないと牧野が発言するのを聞いて違和感を抱き、次のように記している。「大統領との会話と午後の総会の間に［……］何が起こったのかは知らない。しかし、おそらく山東問題に関して日本人は満足のいく約束を得たのだろう、なぜなら、人種平等に関する修正を押し通そうとはしないと宣言したからだ。あれほどまでに固執していた修正案をである(1)」そして次のような覚書をまとめている。

本日午後の講和会議総会に於て、牧野男爵は自ら提案した「人種平等」を宣言する連盟規約への修正案について語ったが、それを押し通そうとするつもりはないと述べた。

大統領が私に語ったことから、私は、彼が膠州湾と山東についての日本の要求を受け入れるつもりだと結論付けた。彼はまた私に、首脳たちによって承認された牧野宛のバルフォアの手紙の写しを見せたが、そこには、総会の前に彼らの要求を最終的に解決できずに申し訳なく思うと書かれていた。

このすべてから、私は、彼らの要求を認めることと引き換えに、日本人が連盟規約に署名することに同意するという取引が成立したという結論に至らざるを得ない。もしそうなら、それはよこしまな合意である。

明らかに大統領は、日本が国際連盟への加盟を断るのを避けるためにこのようなことをしようとしているようだ。これは民族自決という原則の放棄であり、何百万人もの中国人を外国の支配者から別の支配者へ移譲することだ。これもまた、「一四カ条」を不可解なものにし、公正な平和を台無しにしている秘密の取り決めのひとつである。私はこのことの黒幕はハウスだと信じている。今日私は彼に、膠州湾を日本に与えることは、偉大な原則を手放すことだと言った。彼は、「以前にも同じようなことがあった」と答えた。私は少し熱をこめて、「そうだ、そのようにされ、その方法が採用されたことが、この会議の呪いだ」と答えた。彼はそれには答えなかったが、それは講和のテーブルの角を挿んで小声で話していたからかもしれなかった。

私の意見では、中国を見捨て、我々の極東における威信を〝一椀のごたまぜのあつもの〟のために明け渡すよりは、日本を連盟の外に置いておく方がましだろう。まさにそれはごたまぜだ。この状況を救うために何かをするには遅すぎるのではないかと私は恐れる。(2)

ランシングは、中国を見捨てるくらいなら、日本が国際連盟に加盟しない方がましだと考えていたのである。

全権の報告

日本全権は、翌二九日に事態の経緯を説明した電文を本省に向けて発信し、その中で二八日の総会において無理に人種差別撤廃案の採択を要求しなかった理由を二点、次のように説明している。まず、成功の見込みが少なかったこと。すなわち、四月一一日のように投票にもっていくことは不可能ではなかったが、そもそも英米の二大国が強く反対している以上、この提案がうまくいくことは「絶対」あり得ず、また、一一日の投票で日本案に賛成した小国も英米の強い反対をみて、今回は態度を「豹変」させるのは想像できるとした。そうすれば、再度投票したとしても賛成が過半を占めた前回とは異なり、賛成が少数となる恐れがあるというのであった。第二点目として、今回の案は、四月一一日直前の流れから、拘束力のない一般的な文言を前文に挿入するという譲歩に譲歩を重ねた「不満足」な案に過ぎなかった点を挙げた。そのような不満の残る案のために無理押しするよりも、最初の案とその趣旨を繰り返し述べて議事録に記載させた方がよいとの判断だったと説明したのである(3)。

国内の不満

四月二八日の総会において、人種差別撤廃案の命運が決まったのちも、日本国内では不満が収まったわけではなかった。それは、人種差別撤廃期成同盟会が開かれたような大都市部に限らなかった。その一つの例として岡山県郡部から提出された一九一九年五月二一日付の「時局ニ関スル請願書」がある。これはパリの日本全権に対して「国威ヲ宇内ニ発揚」することを要求するものであったが、それを実現するために、他国委員の中に「正義人道」よりも「自国ノ利益」のみを優先し、「全ク道徳観念ヲ忘却セルガ如キ頑迷ナル強敵」がいると聞き及んでいるのでそれを「打破」して、「人種的差別撤廃問題ヲ貫徹」することが望まれていた。「頑迷ナル強敵」とは明らかにヒューズを指しており、人種差別撤廃案がパリで行き詰まっていることや、その原因がヒューズであるとの話が郡部にまで広くいきわたっていることがわかる。岡山県知事から、この請願書の提出者は「近来多少精神ノ異常ヲ来シ」という情報が外務大臣宛に入っていたものの、本請願書は、直ちに外務大臣名でパリの代表団に向けて打電されている[4]。このような無名人士からの請願書まで逐一電送されており、日本の国内世論は、代表団にとって大きな圧力となっていたことが改めてわかる。

日本代表と人種案は見向きもされなかった（『万朝報』1919年4月30日発行夕刊）

人種差別撤廃案が否決されたことに対する批判の理由には、原理原則を述べた日本の提案が否決された一方で、ウィルソンが強く主張したアメリカ固有のモンロー主義が規約に挿入されたということを挙げるものも見られた。

ハウスの説明

六月二八日夜、ハウスは牧野に対して「極秘」として、四月一一日の国際連盟委員会の裏話を語った。ハウスによれば、ウィルソン大統領は会議中ほとんど、日本案に賛成するところだったというのである。会議中、ハウスの隣に座っていたウィルソンは、イギリスと袂を分かってもよいから日本案に賛成したいとして、ハウスに意見を求めたのだとハウスは語った。それに対してハウスは、もし大統領が日本案に賛成すると、ヒューズが総会で大騒ぎをはじめ、それを受けて米国西海岸の新聞が大統領に対する攻撃キャンペーンを始めることになり、大統領は「殉教者」になってしまうと諫めた。それで、大統領はなんとか思いとどまったとハウスは説明した。(5)

ただ、このハウスの発言を額面通りに受け取ることは難しい。この日の会議でウィルソンは、無言で座っていたならともかく、議長として、過半数を獲得した日本提案を、満場一致でないとして積極的に潰している。日本との良好な関係を望むハウスが、牧野をなだめるためにつくった話と考えるのが自然ではないだろうか。(6) このようなストーリーをハウスが語ることができたのも、ヒューズ豪首相があからさまに反対でいたからであり、英米は、ある意味、ヒューズによって助けられたと言える。ヒューズなしには日本案に正面切って反対せざるを得なくなるはずが、彼があからさまに反対してくれたおかげで、自分たちが人種差別主義者として非難されるというようなことにならなかったからである。特にウィルソンは、正義や平等を主張していた手前、日本が主張する原理原則に反対することになれば、すこぶる都合が悪かった。イギリス代表団の一員として随行していたハロルド・ニコルソンも「このようにして大統領は間一髪のところでオーストラリアのヒューズ氏に助けられたのであった」と書いている。(7) ウィルソンの侍医並びに個人的秘書として同行し、会議の流れを熟知していたケアリー・グレーソン医師も、日記に「オーストラリアとニュージーランドが英国代表を通じて積極的反対の立場をとってくれたおかげで、米国はその提案された修正案に公然と反対する必要はなかった」と記し、胸をなでおろしている[8]。

ウィルソン大統領が日本案に同意する寸前であったという、ハウスが語ったこのエピソードは、アメリカとの協調を望む牧野にとっても都合のよいものであった。牧野は九月二〇日付の帰国後の復命上奏の追補として、わざわざこの話に触れた上で、日本ではアメリカは人種問題に「感情的」であったと伝えられていたが、アメリカ代表団は、当初から冷静に日本の提案を検討してくれたとアメリカの肩をもった。加えて、日本の新聞は人種差別撤廃案に関して英米を攻撃しているので、この逸話に見られるような内情を知らしめて、そのような攻撃が誤りであることをわからせたいとした。なぜならば、甚だしい相手国への攻撃は、将来の英米との国交に有害となるからであった。牧野は、人種差別撤廃案が不成功に終わったのは、「全ク『ヒューズ』一人ノ破壊ニ因」すると人々が理解することを願うとして、本件に関する追補を結んでいる[9]。

ヒューズ一人の責任とすれば、いろいろな点で都合がよかった。英米は日本案に理解を示していたものの、ヒューズの反対によりやむを得ず反対したということになれば、日本と英米との友好を願う立場からすればありがたかった。日本国としても、人種差別撤廃の主張が大国に受け入れられていたということであれば、面目が保てるのであった。また、日本代表団にとっても、ほとんど成功しかけたものの、一人の理不尽な人物の存在によって頓挫したということになれば、面目が保てることになる。

国外の反応

人種差別撤廃提案は葬り去られたものの、この日本の提案は大国によって国際会議に初めて提出された人種平等を謳う案であり、世界史上類を見ないものと受け止められた。そのため、世界中、特に非白人国の間で大いなる反響を巻き起こした。人種差別撤廃案を日本が出したことが知れ渡ると、牧野や幣原らがパリやワシントンで、アイルランド人やリベリア人などから挨拶されたり褒められたりしたといった体験を後に話している[10]。

米国の黒人団体も、国際連盟に希望を見出していた。有力公民権団体の一つである全米黒人地位向上協会は、その機関誌『クライシス』の一九一九年五月号において、自分たちの人種平等に向けた戦いにおいて国際連盟は「絶対不可欠」とまで書いている。その理由は、米国や南アフリカにおいて反黒人政策を改善するには「超自然的な力」がなければ無理であり、米国南部がもつ強大な政治力を克服するには、国際世論という力が必要だからであった。その記事は、「黒白黄が列席し発言し行動する世界議会」によって身勝手な白人文明の力が減じられなければ、「人種間大戦争の亡霊」は取り除かれないとまで論じている。そして、日本の人種平等修正案が否決されたことは嘆かわしいことではあるが、それは素晴らしい終末に向けての始まりであると肯定的に捉えている[11]。

ただ、日本による他のアジアへの差別を感じていた人々は、そのように楽観的には受け止めていなかった。中国は同じアジア人国として四月一一日の投票で日本案に賛成したものの、その支持は終始微温的であった。日本人は他のアジア人に対して差別的態度をとっており、黄色人種間でも平等が実現できていないのに、白人に対して平等を要求などできようかという先の陳独秀の日本に対する批判的評論に、その理由を見て取ることができよう。南京大学の王治平は、日本は汎アジア主義実現のため本心を隠して、人種平等を唱えていると論じた。

アジアの事情に詳しいアメリカ人の中にも、そのような中国人の考えを共有している者がいた。上海で雑誌を出版していたトマス・ミラードは、日本は平等をアジアの国に与えておらず、日本の狙いはアジアでヘゲモニーを確立することと断じている[12]。また、日本の提案はあくまで領土的な野心のための取引材料であったという考えも、アメリカでは根強かった。ウィリアム・ボーラ上院議員は、「日本はそもそも人種平等を通すつもりはなく、青島についての取引材料にするつもりだった」と語っている[13]。

日本のパリ講和会議における提案が、他のアジア人のことを考えてなされたのではないという考えが広く存在したことを示唆する一節が、当時日本人ジャーナリストが英語で出版した出版物の中に見える。河上清が一九一九年の夏にニューヨークで出版した『日本と世界平和』と題する書物である。河上は米沢出身のジャーナリストで、その社会主義的活動から日本政府に摘発されるのを恐れて二〇世紀初頭に渡米し、米国で活動していた。国際問題について書いた書物の一章において、彼は次のように書いている。

また、西洋諸国政府が日本人を他のアジア民族から切り離して扱う方が現実的だと考えるのであれば、すべてのアジア民族を対等な立場に置くべきだと日本が主張することもない。というのも、日本には、大陸に多数存在する厄介な隣人たちの擁護者や代弁者になろうという野心はないからである［……］日本が他のアジア諸国民と一線を画すべきかどうかは、西欧の政治家たちが決めることだ。(14)

すなわち、日本人はアジア人全体を白人と同列にしたいというのではなく、日本だけを西洋と同列と認めるのであれば、人種平等など主張しないというのである。河上のこのような記述から、人種差別撤廃提案が、アジア人全体に対する差別をなくすことを目指していたわけではないと考える、当時の多くの日本人の本音が見えてくる。

日本は主張し続けたのか

牧野は一九一九年四月二八日の総会での発言の末尾で、「将来連盟に於て同主義の採用せらるるに至る様其の努力を継続すへし」と述べたが、日本代表は実際に人種差別撤廃を主張し続けたのだろうか。

日本政府としても、人種差別撤廃提案をたやすく引っ込めるわけにはいかなかった。講和会議中に開催された人種差別撤廃期成同盟会の大会は、大きな圧力となっていた。六月にヴェルサイユ条約が調印され、七月にウィルソンが帰国することで実質的に講和会議が終了した後も、人種差別撤廃に向けての日本の国内世論の圧力は止まなかった。浜口雄幸《はまぐちおさち》は、今回の全権団の仕事ぶりに対して疑問を呈したが、その中の一つが「人種平等問題に関し十分なる用意と確信とを欠きたる為め彼の如き不結果に陥りたる事実は果して国民多数の希望なりしや如何」と問うものであった。八月二八日には築地精養軒において外交問責大会が開かれ、「現内閣の外交は講和会議の醜態と云ひ人種問題を首《はじ》め対支対露の諸問題と云ひ破綻百出殆ど未曾有の失態に属す」と、批判的宣言がなされていた(15)。

同じ頃、西園寺は首席全権として提出した復命上奏文において「我希望ヲ悉ク貫徹スルコトヲ得サリシハ臣ノ遺憾トスルトコロナリ」と今回の仕事を総括した。人種差別撤廃に関しては、利害関係先である英米全権と、十数回にわたって「内交渉」を行って「専ラ妥協ノ精神」で意見交換し、国際連盟委員会に於て力の限り努力したものの英領植民地の「執拗ナル反対」があり、また英米委員も賛成しなかったため、「将来本問題ヲ重テ提議スヘキコトヲ宣言シテ我立場ヲ明ラカニシ之カ解決ヲ他日譲リタリ」と、努力したものの反対にあってうまくいかず将来また挑戦することを宣言したと説明している(16)。

牧野が西園寺のおよそ一月後に提出した報告書は、短い西園寺のものに比べ長文であった。人種差別撤廃提案については、ハウスとの面談から始まる交渉の経緯について詳細に記述されていた。四月二八日の総会において一般投票に付すという手段もないわけではなかったが、英米が反対している以上、総会で投票に付しても望みなく、そればかりか委員会レベルで賛成した中小国も、英米に忖度して態度を変えかねないとした。今後については、前文に一般的な文言を挿入するという案は、妥協に妥協を重ねた「不満足ノ案」であり、「後日ノ地歩ヲ確保セムカ為」従来の主張を繰り返し、「将来機会アル毎ニ目的ノ貫徹ニ付キ主張スルヲ怠ラサルヘシ」と、後日の成功への努力を明記している(17)。

パリ講和会議以降、日本が人種差別撤廃を世界に向けて訴え得る場はいくつか考えられた。まず、国際連盟の場で訴えるというのは牧野が予言したこともあって、自然な流れに思えた。加えて、民間団体として国際連盟を支援するために各国に作られることになる、国際連盟協会の国際的集まりである連合総会が考えられた。民間団体とはいえ、そのメンバーは各国政府に影響力のあるエリートたちであり、決議は連盟総会の公的な出版物に掲載されるなど、重要視されていた。むしろ国際連盟本体よりも、自由闊達な議論が展開し得る場として重視する向きもあったほどである。ほかには単発で開催される国際会議もあった。国際連盟の常任理事国となり、世界の大国となった日本は、いずれの場においても重きを置かれるようになった。そのような立場を利用して、日本はどのように人種差別撤廃の訴えを継続したのだろうか。

オーストラリアの警戒

パリ講和会議終了後も、関係各国は人種差別撤廃提案に関する日本の出方を、固唾をのんで見守った。いつ何時また、日本が人種差別撤廃を言い出すのではないかと警戒したのである。特に人種差別撤廃に否定的な立場をとる国は、日本の動きを注意深く見守った。米豪加などでは日系移民が地元住民の職を奪うとして、排日運動が継続していた。なかでもオーストラリアは、警戒を怠らなかった。パリ講和会議においてヒューズ首相の働きによって日本の人種差別撤廃提案を阻止したオーストラリアにしてみれば、国際連盟において日本が再び同提案を蒸し返して受け入れられることになれば、アジアからの移民が流入し、白豪主義が骨抜きにされる恐れがあった。

オーストラリアが特に懸念したのは、第一回国際連盟総会の開催が一九二〇年一一月とまだ先な一方で、第一回理事会は、一月一六日にパリで予定されていたことであった。常任理事国の日本は、もちろん中心メンバーとして出席予定であったが、英帝国の一員でしかないオーストラリアは直接代表を送ることはできず、イギリスを通しての参加であった。しかも、それに先立って一九一九年中も、大国のみによって設立に向けた会合がパリで断続的に行われていたのである。

オーストラリアの不安は的中した。一二月二四日の大国会議において、日本を代表する松井大使がオーストラリアの委任統治について異論を唱えたのである。委任統治先には、統治国の法令が適用されることになっていた。そうするとオーストラリアが委任統治する赤道以南の南洋群島については、日本人の移民を禁止するオーストラリアの法令が適用されることになる。それでは国際連盟の精神である自由競争と平等な権利に反するというのである。ドイツ領であった当時は、日本人の移民は自由だったのに比べて、不利な扱いになるということもあった。会議はその場で結論を出すことができず、持ち越しとなった[18]。

一九二〇年に入るとサー・ジョセフ・クック豪海軍大臣は、豪州学生キリスト教徒運動の集会における講演で、日本を批判した。もし日本が今の段階で人種平等問題を提起するとすれば、それはフェアではないと考えると述べたのである。なぜなら、国際連盟はまだ完全に機能してはおらず、自治領諸国が代表を送っていない段階でそのような提案をするのは公正ではないというのである。また、日本はドイツが南洋群島を管理していた時には、使えたはずの権利を行使していなかった上に、自国が委任統治する赤道以北の南洋群島に関しては好きに管理するというのがその論拠であった[19]。

一九二〇年一月一六日に連盟理事会が開催された。ただ、そこに直接代表を送ることができないオーストラリアの懸念とは裏腹に、日本代表が理事会に対して、人種差別撤廃を議題として提出することはなかった。ただ、オーストラリアの一部で不安は燻り続けた。八月にメルボルン議会において、与党が太平洋諸島の委任統治に関する法案提出許可を求めた時、その不安は噴出した。野党のルー・カニンガム議員が、その統治は白豪主義に沿ったものとする修正動議を提出した。その理由としては、そうしなければ、有色人種、なかでも日本人の流入の懸念があるからとした。この動議には即座に賛成する者もあったが、提出者のクック大蔵大臣は、白豪主義を実施するためにも、同法案の速やかな通過が必要と述べてともかくもそのままの形での通過を要請し、この動議は沙汰止みとなった。ここにもオーストラリアの根強い警戒心が見て取れる[20]。

カリフォルニアの警戒

人種差別撤廃提案を再度国際連盟に提出するかもしれない日本の動きに対し、カリフォルニアを中心に西海岸で日系移民問題を抱える米国も無関心ではいられなかった。UP電が、日本が人種差別撤廃を国際連盟総会に提出すべく準備していると伝えると、米国西海岸での反響は大きかった。カリフォルニアの地方紙『ロングビーチ・デイリー・テレグラム』は、「ジャップは人種平等を求めて戦う」と題して、日本が国際連盟の第一回総会で再び、人種差別撤廃提案を提出するつもりであると書いた。そもそも日本代表はパリ講和会議で近い将来に再提起すると述べており、パリの外交筋はみな、第一回総会を戦場にしようという日本の決意を極めて戦略的と見ているとした。すなわち、今回はパリ講和会議の時に比べて日本は有利であるというのである。理由として、日本の人種差別撤廃提案破棄に大きな役割を果した米国はそもそも、国際連盟の加盟国ではないことなどを挙げた(21)。

この頃、米国西部では日系移民問題が再燃していた。第一次世界大戦中は、世論の関心がヨーロッパに向けられたことや、日本がアメリカと同じ連合国側で戦ったこともあって、日系移民排斥運動は一段落した感があった。しかし、第一次世界大戦が終了すると再び、排日運動は盛り上がりを見せていた。ある新聞は、「日本に人種平等だって?」「それが何を意味しているかをカリフォルニアが教えてくれる」という記事を掲載している(22)。カリフォルニア州では、特に一九一三年に成立したいわゆる外国人土地法に対して、日系人が脱法行為を行っているとして、その穴を埋めるべく新たな土地法が提出され、その投票が一一月二日とされると、その日が迫るにつれて排日運動は過熱していった。

差別意識の強さは、移民の帰化権を巡る裁判であらわになった。当時の米国帰化法は、帰化可能者として、「白人」と「アフリカ系」を挙げており、国名を挙げて帰化不能とされていた中国系を除き、アジア系の扱いが明確には規定されていなかった。そのため、アメリカ国籍を獲得して、大統領選挙に投票したり、第一次世界大戦で徴兵されたりした日系人もいた。

そのような曖昧な状況の中、日本人がアメリカに帰化可能であることを確認するため、小沢孝雄が一九一四年に訴え出た小沢対合衆国の裁判は、一審で訴えが棄却されたものの、小沢は第九巡回控訴裁判所に控訴していた。この日本人の帰化を巡る裁判に控訴裁判所は判断を下さず、一九一七年に米最高裁に回付した。最高裁はパリ講和会議での日本の人種平等提案のため、すぐには判断を下さず、また、一九二一年一一月から一九二二年二月まで開催されたワシントン海軍軍縮会議にも配慮し、ようやく一九二二年一一月になって日本人は人種のゆえに米国に帰化不能との判断を下したのであった。アジア系に対して人種差別的傾向を強めるアメリカ社会の様相は、日本を意気消沈させるものであったし、また、オーストラリアなどを勇気づけるものであった。

国内のわだかまり

海外での日系人に対する根強い差別は、パリ講和会議の人種差別撤廃提案の不採択とともに、日本国内では引き続き重く受け止められていた。大正九年（一九二〇年）一月二二日の衆議院において、後に若槻内閣で蔵相となる片岡直温が質問に立ち、パリ講和会議における日本全権の対応について厳しく問うた。その中には当然、人種差別撤廃提案が採択されなかったことに日本全権の責任はないのかというものがあった。

片岡の人種提案に関する批判には、主に二つの論点があった。一つ目は、人種差別撤廃提案は当然移民問題と深く関係しているはずであるのに、あたかも移民問題とは関係がないかの如くふるまったのはおかしいというものであった。特に石井菊次郎駐米大使が米国における演説で、移民問題とは分けて論じなければならないと述べたことを問題視した。二点目は、人種差別撤廃提案を、国際連盟規約草案がほぼ完成した二月一三日の討議最終日になって、委員会にようやく提出したのはどういうわけかというのであった。委員会の当初に宣言していなければならなかったのではないかと、片岡は迫ったのであった。そして途中で文案を変更して、前文への挿入へと戦略を変えたのはなぜかというのであった。また、移民先である米英の政府に事前に了解を得て初めて、通過することができると思うがどうかと問うた。(23)

それに対して、内田外相の返答は、少し話をずらしたものであった。もとより米英政府との間に事前の根回しが必要なことくらいは外務省としてもわかっており、米英政府との内々の交渉に努め、最善を尽くして交渉したその結果として二月一三日の提出となったわけであるから、その辺りの事情を開陳したいところではあったものの、そうするわけにもいかなかったからである。それで内田はその辺には直接触れず、日系移民差別が移民先で行われ続けていることを力説した上で、ただ、今回は「世界永遠の平和を確保」するためのものであるので、その精神から差別撤廃に関連する具体的な動きを避けたことを説明した。また、採択されなかったことについては、「殆《ほと》ど九分まで他の承認する所」となったが、満場一致が得られなかったと全権が努力したことを強調した。そして、「今後に於ても機会のある度に、無論此議を提唱致したいと思うて居る次第であります」と、この問題に対する答えを結んだ。議場からは「なぜ遅く出した」などというヤジが飛んだが、それに対して内田は答えなかった。このように半年以上たって年が明けても、この問題に対するわだかまりは日本国内に残っていたことがわかる。(24)

第一回国際連盟総会

第一回国際連盟総会の開催が近づくにつれ、人種差別に対する関心が高まっていた。黒龍会が東京で発行していた雑誌『アジアンレビュー』は、全文が英語で書かれており、その主張を世界に向けて発信することを旨としていた。その一九二〇年一〇月号は、編者の言葉としてトップに「人種平等提案」を取り上げた。そこでは、有色人種の関心事は様々あるが、共通の関心事が存在し、それは人種平等提案についてであるとした。その上で「神は自ら助くる者を助く」という西洋の諺をわざわざ引用した上で、「有色人種が一致団結し、白色人種の優越という誤った原則の廃止に力を尽くさなければ、成功する見込みは低い」と書いて、世界中の非白人の連帯を訴えた。第一回総会においてこの問題を提起するように、「ジュネーブの国際連盟の会議でそれが再び取り上げられることを我々は希望する」と訴えた。[25]

『アジアンレビュー』の次の号では、オーストラリア代表がパリ講和会議で日本が提出した人種差別撤廃提案に反対したことをまたしても取り上げ、そのような態度を続けると、平和的なアジア人も堪忍袋の緒が切れ、「痛ましい大惨事」が生じるかもしれないと世界に向けて書いた。そのうえで、そのような結果に至った場合、責任はひとえに白人の側にあると論じた。また、日本の国際連盟協会が盛り上がらないことを指摘し、その理由の一つとして、牧野が提出した人種差別撤廃提案が不幸にも否決されたため日本国民は国際連盟に対して信頼がおけないのだとして、その重要性を重ねて強調した。[26] 日本政府としては、一九一九年に牧野がパリ講和会議で述べた通り、人種差別撤廃提案を再び持ち出すべきか悩みどころであった。そもそも人種差別撤廃を日本代表がパリ講和会議で発議したのは、国際連盟問題において、日本に対して人種偏見から生じる不利を取り除くためであった。ところが、創設された国際連盟において、日本は、四大国からなる常任理事国の一角を占め、国としては差別を受けるどころか特権的な地位にあることは、国際連盟創設準備の過程で明らかとなっていた。

そこで改めて、この問題は一九二〇年一一月九日の外交調査会で議論された。最終的には、人種差別撤廃を求めるような提案は差し控えるべしという、次のような内容の訓令が出されることになった。第一に、日本政府はパリ講和会議で全権が述べたように「公正なる我従来の主張を抱懐」しているが、いまはこの問題についての提案を提出する「其の時機に非ず」とした。第二に、もし他の国が人種差別撤廃提案を提案した時には、それに賛成するとともに、その提案に関して交換条件のようなものが生じたときは、時と場所に応じて日本に有利になるように提案するようにとした。そして、第三に、もし第二のケースで日本が提案をする場合は、日本が以前、パリ講和会議で提出した人種差別撤廃提案の原案の趣旨に基づくようにとして、二月一三日に国際連盟委員会に日本代表が提出した案文を挙げた[27]。

一一月三〇日の国際連盟総会において、日本代表の石井大使は、この訓令に基づいて次のような演説を行った。まず、パリ講和会議において、国籍、人種、宗教にかかわらず、すべての人に法の下の平等が保障されるべきだという、日本側の提案が受け入れられなかったことを「痛恨の極み」として、日本の要求が受け入れられるまで、その努力を継続すると宣言したことを他国の代表たちに想起させた。そこで石井はトーンを変え、国際連盟はいまだに組織ができ上がっておらず、規約の運用についても慎重に行わないといけない時期であるので、連盟規約の改定を必要とするような原則に関わる問題は、後日に譲らないといけないと確信するとした[28]。そして、その上で次のように述べたのであった。

依て日本は今回の総会に於ては機会均等及平等待遇の問題に関する的確なる提議を為すことを差控へ今後適当なる機会の到来する迄隠忍之を俟たんと欲す[29]

日本政府は、パリ講和会議で牧野が「将来連盟に於て同主義の採用せらるるに至る様其の努力を継続すへし」と宣言したにもかかわらず、絶好の機会に見えた第一回連盟総会で、人種差別撤廃提案を持ち出すことは控えたのであった。特権的地位にある大国が中心の理事会と異なり、中小国も参加する総会こそが人種案を再提議するに適した場に思われたにもかかわらずであった。常任理事国として、少なくとも国際連盟においては人種差別による不具合に遭遇していなかった日本政府は、事を荒立てることを嫌ったのである[30]。

日本の国内世論は落胆した。『東京朝日』は、国際関係の都合で厄介な人種案を出さなくて済んだのは原内閣にとって「助け舟」でしかなく、非白人強国は日本しかないのであるから、英米が望まないからといって人種案を諦めてはならないと主張した[31]。より強く批判したのは、先の『アジアンレビュー』誌であった。一九二一年一月号の巻頭において石井の態度を攻撃した。まず、牧野がパリ講和会議に於て、人種差別撤廃提案を国際連盟において再度提案すると述べたこと、そしてそれ故、今回の第一回総会で日本代表によって提議されるものと一般に考えられていたことを読者に想起させる。そして、総会の席上、石井大使が、「適当なる機会」が到来したときに提案すると述べて提議しなかったことに対して、次のように述べた。

石井子爵は明らかに、日本に対する白人の偏見はじきになくなるだろうと期待している。それは、白人の真の心理に対する完全な無知を示している。非白人民族の要求が一貫して絶え間なく繰り返され、とてつもなく大きな道徳的力によって支持されない限り、人種的偏見が消えることはない。我々が手をこまねいて座っている限り「適当なる機会」は決して訪れない。［……］実際、子爵はこの問題を再び持ち出さないことで、非白人民族の大義に大きな損害を与えた。(32)

規約改正委員会

一方、第一回国際連盟総会では、国際連盟規約の改正を検討するための規約改正委員会の設置が決定された。国際連盟が実際に動き出したことで、パリ講和会議前半という短期間にまとめられた連盟規約に修正すべき点があれば修正しようというのである。この規約改正委員会が設置された折に提出すべき案についての考えは、四月の委員会開設を前に、できれば三月中に知らせるようにと、東京の外務省への電報で石井が促したのが二月四日であった。(33) この規約改正委員会が検討する対象は連盟規約全体であって、石井には、パリ講和会議で果たせなかった人種差別撤廃を盛り込む絶好の機会に思えた。

それで石井は、二月七日に本国に対して重ねて請訓した。これは外務省に人種差別撤廃案の提議を促すものであった。それによれば、加盟各国は「希望条項の提出を促されたる観あり」とし、ここで人種差別撤廃案を提出しなければ、日本が人種差別撤廃を連盟規約に盛り込むことを諦めたと取られる懸念すらあるというものであった。また、日本が人種案を提出すれば、米国の加盟を阻害することになるという批判もあると認めたうえで、そのような的外れの批判を気にしていては、永遠に人種案を提出することはできないだろうと主張した。そして、一気に採択を迫るものではなくてもよいので、向こうから規約改正の提案を求めているときに、人種差別撤廃問題に関して日本政府が「不断の希望を披瀝」することは「義務」ですらあると信ずるとしている(34)。

この問い合わせに対する日本政府の返答は、石井を落胆させるものであった。日本政府の回訓は、人種差別撤廃提案提出の「時機にあらずとの決定を見た」というものであった。パリ講和会議で人種問題を日本が提議して以来、この問題は日本と、英米ならびに英自治領との間に「極めて困難なる政治問題を形成」してきているため、本問題については「慎重の考慮」が必要というのである。具体的には、その理由としては、もしここで今日本が提議した場合、オーストラリアの世論を刺激して日英同盟再改訂に影響があるかもしれず、また、米国の排日世論を助長して日米関係に悪影響を与えかねないというものであった。加えて、仮に今回提出したとしても講和会議時に比べて情勢は変わっていないため、通過の見込みが改善していないとする。それらの理由によって、問題解決を「一気呵成に求めず［……］関係国との交渉に依り漸次」日本の考えを理解させていくのが好ましいとしたのであった。ただこれに関しては、外務省内にも提案すべきとの声が少なくなかったという[35]。

国際連盟協会連合会

日本政府は、国際連盟総会という公的な場での人種差別撤廃提案の再提出を見送ったものの、より公的な度合いの低い場では、少し趣が異なっていた。国際連盟の総会や理事会のほかに、国際連盟関係の組織で日本が人種差別撤廃を議題にできる組織があった。その一つが国際連盟協会連合会である。国際連盟協会とは、まだ第一次世界大戦が終わる前から、国際連盟の創設を期し、それをサポートする団体として各国でそれぞれ設立された民間団体であった。それらが国を越えて連携することを目指す組織として、終戦直後の一九一九年一二月にベルギーを本部として設立されたのが国際連盟協会連合会であった。第一回国際連盟総会では人種差別撤廃案の提出をためらった日本であったが、民間の団体という気安さからか、国際連盟協会連合会では、より積極的な働きかけが見られた。

日本国内における国際連盟支持に関する動きは、他国に比べて遅れていた。そもそも、日本版の国際連盟協会設立が一九二〇年四月と出遅れていた。そのため日本が連合会総会に代表を最初に派遣したのは、一九二〇年一〇月にミラノで開催された第四回連合会総会からであった。ただ、参加するようになってからの動きは早かった。一九二一年四月にブリュッセルで開催された連盟協会連合会役員会においては、次回総会に推薦すべき議題の一つとしてすでに「人種差別待遇廃止」が挙げられている。[36]

この議題が検討される一九二一年六月、ジュネーブでの第五回連合会総会を前に、日本の協会を代表する岡實に対して、日本国際連盟協会名で指示が電送されている。岡は農商務官僚で、国際労働会議でも日本を代表した人物であり、またこの電報は発信人を内田外務大臣とし、受取人を石井大使とするもので、民間団体とはいえ、外務省の公的な活動の一部であったとみてよい。人種問題に対する岡への指示は、「人種案に関しては巴里平和会議に於ける牧野全権の陳述の趣旨に依られ度し」という曖昧なものであった。これは、それほどことがうまく運ぶはずはないという想定に基づく指示であったと思われる。[37]

ところが日本政府関係者が驚いたことに、ジュネーブでの第五回国際連盟連合会総会において、反対に遭遇することがなかったのである。まず他の出席者と並んで、岡が日本の提案の趣旨を演説した。総会は六つの委員会に分かれて議論するところとなり、日本の人種差別撤廃提案は、少数民族保護を扱う第三委員会で扱うこととなった。第三委員会において、岡が日本の提案を説明し、人種差別撤廃に関する特別委員会の設置を提案したところ、拍子抜けしたことに「格別の議論なく総員の同意あり」ということで、国際連盟人種問題研究委員会の設置が決まったのであった。[38] このジュネーブでの連合会総会において本提案を行った岡は、次のように書いている。

本来連盟協会等は自由なる外交上の機関である。人民の声を協会に於て代表せねばならぬ。

我が協会は我が同胞の声の仲介者となつて有効に人種の差別撤廃を具体化せしめなければならない[39]。

実際の委員会の運用については、一九二一年一〇月にウィーンで開催された国際連盟協会連合会理事会で議論された。ジュネーブでの提案者である岡もこれに出席し、委員会の早期設置運用を促したところ、選挙によって、日本、イギリス、フランス、スイス、ルーマニア、ハンガリー、中国から委員が選出され、国際連盟事務局からの委員一人を加えた八人からなる委員会が発足した。日本の代表は岡實とされ、岡の都合がつかないときは鳩山秀夫東京帝大法学部教授とされた[40]。

人種問題研究委員会

国際連盟協会人種問題研究委員会と名付けられた委員会は、一九二二年一月にパリ郊外で開催された。この時は岡に代わって鳩山秀夫が日本代表として出席していた。ここでの鳩山の発言は、人種平等を主張するこれまでの協会連合会総会における日本代表の勢いと打って変わったものであった。「黄人差別の待遇」について「移民入国問題と入国後に於ける待遇問題とを区別して研究」し、そのうち後者に重点を置くべきだというのである。人種差別撤廃というパリ講和会議以来の大原則に関する主張から、かなり矮小化されたものへと自ら退いたといえる。すなわち、移民入国問題に絞り、しかも移民入国前と入国後に峻別して、入国後の待遇に焦点を絞るべしという抑制的かつ限定的なものへと変貌を遂げていたのである[41]。

第六回国際連盟協会連合会総会

その理由は、委員会からの提案が審議される第六回国際連盟協会連合会総会に向けての外務省からの指示に明らかである。そこには「人種的差別待遇の撤廃」については、「差当り入国後に於ける私法上の平等待遇に関する原則の確立に限らるることとせられ度し」と書かれていた。その理由としては、人種問題の「根本的解決」を目指すことは困難であるため、それについては「漸進的解決」を目指すこととするというのであった。それゆえ、より具体的で限定的な問題の改善を目指すべきとされていた。具体的には、入国制限に関する問題と入国後の待遇に関する問題とに分け、そのうち後者、すなわち「入国後に於ける差別的待遇の撤廃に力むるを得策なり」とする。しかも、その中でも私法上の待遇と公法上の待遇とに区別し、次の総会では私法上の待遇だけを問題とするようにというのであった。民間団体においてすら、外務省の方針は消極的姿勢に貫かれていたのである。(42)

そのような姿勢は、在外公館にも見て取れる。第六回国際連盟協会連合会総会は、プラハで一九二二年六月に開催予定であったが、当地の日本公使館は、少数民族問題も絡む人種問題に、現地の日本公使館の外交官を巻き込みたくないということから、日本代表を「当館員以外の者を依嘱」するように東京に求めている。(43)

プラハで六月六日から開かれた第六回国際連盟協会連合会総会では、日本代表が人種問題研究委員会に提出した決議案が「多くの議論なくして全部可決」された。しかしそれらは、パリ講和会議で牧野らが提案した人種差別撤廃提案と比べて限定的なものであった。以下が人種問題研究委員会で可決された決議のうち、人種に関係するものである。移民の制限の自由を認める米英に気を遣ったものであり、また、その主張においても、移民がいったん入国したのちは、その取り扱いにおいて平等であるべきという先の訓令に沿った限定的なもので、牧野らの人種差別撤廃提案とは程遠いものであった。非政府団体である国際連盟協会の集まりである連合会総会においても、日本政府は影響力を行使し、その人種平等に関する態度は極めて抑制的であったのである。

Ⅰ　絶対的で回復不能な人種の不平等という考えは科学に基づかない。
Ⅱ　総ての国に於て国際連盟が保護しなければならない原則は、人種にかかわらず、個人の権利や国家間の権利義務の互恵性を尊重することである。

……………………………………

Ⅴ　いかなる国家も、その主権によって、移民を制限してかまわないが、正義はすべての人種の平等な扱いと国家間の相互主義を要求する。
Ⅵ　いかなる移民もいったん入国すれば、他の移民と等しい権利を享受し得べきである。
Ⅶ　人種の相異はそれ自体、同一国家の市民間の取り扱いにおけるいかなる相違も正当化するものではない(44)。

国際移民会議

一九二三年、日本が人種差別撤廃に関して世界に向けて発言する格好の機会となり得る国際会議が、イタリアの首都ローマで一九二四年前半に開催されることが決まった。成立したばかりのムッソリーニ政権が、国威発揚のために国内で国際会議を開催することを望んだことによるものであった。移民について話し合う機関としては、新設の国際労働機関が第一回総会で設置を決めた移民委員会があり、第一回委員会が一九二一年八月に開催されていたが、そもそも代表的な移民受け入れ国のアメリカが参加していないだけでなく、オーストラリアなども参加しておらず、実質的な役割を果たせていないことは明らかであった。そこで自国開催の国際会議のテーマを探していたイタリアが、主要な移民送出国である立場から開催を提案したのである。移民に関する交通や衛生など、厳格に技術的な問題のみを話し合う専門会議という説明であったが、その中心テーマが移民である以上、人種などについて議論が及ぶことは容易に予想でき、世界に向けて、日本政府がその見解を表明できる好機となり得ることは明らかであった。[45]

まず、イタリア政府は駐米イタリア大使を通じて、一九二三年四月九日付の覚書によってアメリカに参加の意向を打診した。国威の発揚を狙うイタリア政府にとって、移民大国のアメリカが参加するか否かは、会議の成功にとって大きな意味を持っていたからである。また、国際労働機関にも国際連盟にも参加していないアメリカが参加することになれば、国際会議としての重要性が大きく増すことが期待された。[46]

この招請に対して米国務省は、前提条件付きながら参加の意思があることを示した。「米国の移民の受け入れは全面的に国内問題と見なされ、連邦議会の専権事項と見なされなければならない」ため、移民問題に関するそのような会議への「米国代表にはある種の制限が課される」という前提の下、参加の意思を表明したのである。移民問題はあくまで国内問題とするアメリカの前提は、この会議においてアメリカが移民政策について具体的に修正する意図があるわけではなく、新たに組閣したムッソリーニ政権へのお付き合いという意味での参加であったことを示している。(47)

イタリア政府のアメリカへの招請のおよそ一カ月後、ついに日本政府に対しても参加要請があった。ところが日本政府は、この国際移民会議における日本代表のとるべき姿勢について検討を重ねていく中で、人種平等や海外における日本人移民排斥などの問題について、積極的に主張することは控えるという姿勢をとることを決めるに至る。これは一つには、会議の招請があってから、実際に国際移民委員会が開催される一九二四年五月に至るまでの期間は、アメリカにおいて、日本人移民を禁止するいわゆる排日条項について議論されていた時期と重なっているということがあった。(48)

一九二四年一月には、在伊の落合大使宛に、国際連盟協会連合会がプラハでの総会の折に通過した決議を、国際移民会議で取り上げるよう要請することは日本政府としてはしないと伝えている。移民会議において何を話し合うかを決める議案審査会に、プラハでの決議を上程することをしないようにというのである。理由としては、協会連合会が私的団体であること、移民会議が専門的技術的会議であることが挙げられた。(49)

一九二四年五月の移民会議開催が近づいた頃アメリカ連邦議会における移民法の審議は大詰めを迎えており、この件をまったく考慮せずに会議に出席することは難しいという認識になっていく。外務省の指示を求める落合大使の報告には、その苦慮が滲んでいる。落合大使の感触としては、日本に同情を寄せる世論もないわけではないが、移民受け入れ側の国としては、自分たちの判断で移民の受け入れを決めることは、まったく主権の範囲としているとする。そのような中、会議で日本代表が人種平等を主張しても、「成功ノ望ミ無キノミナラス」、移民受け入れ国がまとまって反発する恐れがあり、打算的には「不得策」とした。ただ、落合大使も打算を超えた「国民ノ面目問題」であるから、成功不成功にかかわらず「堂々之ヲ試ムル事トスルモ亦一策」とも思えるので、できるだけ早く指示してほしいと望んだ。そして最後に、他国の排日派は、日本国内において他のアジア人に対する制限や差別が行われていることを強調しており、日本がローマで人種平等を訴えた場合、そのことを「反駁ノ資料」として提出される恐れのあることを付け加えている。(50)

これに対して、移民会議開始直前に出された外務省からの指示では、通過の見込みのない人種平等案は、今回は提出を見合わせるようにとされた。また、人種平等について議論が起きた場合も、「深入セラルルヲ避」るようにとの指示が書かれていた。また、アメリカの移民法案についても、議論しないようにとされていた。(51)ただ、このように外務省が気を遣ったにもかかわらず、アメリカ議会上下両院は最終的に日本からの移民を禁止することを目的とする排日条項を含む移民法案を圧倒的多数で通過させ、五月二六日にはカルビン・クーリッジ大統領が署名して、七月一日の施行を待つばかりとなった。振り返ってみれば、日本政府の配慮とは無関係に、アメリカ議会は移民法制定に邁進していたのである。

「排日移民法」と連盟総会

米国議会が排日条項を含む移民法を可決したことは、日本人に大きな衝撃を与えた。この移民法を日本人は「排日移民法」と呼んで非難した。日本国内では多くの反米集会が開かれた。抗議の切腹をする者が現れたり、西洋風のダンスをしてけしからんとして日本刀を持った一団が帝国ホテルになだれ込んだりした。映画館はアメリカ映画の上映を自粛した。駐日米国大使館のアメリカ人外交官は、それまで親切だった外務省の人々の態度が急に冷たくなったのを感じたと報告している[52]。

そうした中、アメリカのマスコミの中には、この件を日本政府が国際連盟に持ち出して、解決を図ろうとするのではないかという危惧が広まった。その根拠は二つあるとされた。一つ目は、この米国議会による排日的移民法の制定であった。日本政府は、米国政府への抗議が受け付けられなかった以上、何らかの行動に出ざるを得ないというのである。

二つ目は、人種案について重く受け止めている石井菊次郎が外務大臣に復帰するという噂であった。石井は自らが駐米大使であった当時は、米国政府に日本移民に対する善処を申し入れており、また、第一回国際連盟総会では日本代表として、パリ講和会議での人種差別撤廃提案の否決を「痛恨の極み」と表現し、「適当なる機会の到来する迄隠忍之を俟たんと欲す」と発言した本人であった。日本はすでに下準備を終えており、中国など他のアジア諸国やアフリカや中南米の加盟国などからも支持を受けるとみなされた。それだけではなく、ヨーロッパ諸国の代表も支持するとみられた。多くのヨーロッパの国は米国のように、国内に移民問題を抱えていないからであった。また、多くの非白人植民地を抱えるフランスは日本に賛同せざるを得ないだろうとした。ただイギリスだけは事情が異なるとされた。インドなどの非白人植民地は間違いなく、日本を支持するとみられる一方、カナダやオーストラリアなどの移民問題を抱える白人自治領は反対すると見られるからであった[53]。

ただ、日本政府の考えは違っていた。幣原喜重郎が記した一九一〇年代前半のジェームス・ブライス駐米英国大使との有名なエピソードが、その姿勢を象徴的に表している。パナマ運河の通航税法案を、米国政府がイギリスの抗議にもかかわらず通過した時、幣原がブライスを訪ねると、幣原の予想に反してブライスは、もう抗議は一切しないと答えた。驚く幣原に、ブライスは、アメリカと戦争する覚悟がなければ抗議を続けても恥をかくだけと答え、米西海岸の移民問題への日本の対応を問うた。抗議を続けるほかないと答える幣原に、ブライスは、アメリカと戦争をする覚悟がないなら、移民問題のような日本の存亡をかけるようなものではない問題で、抗議を続けるべきではないと述べた。そして、アメリカという国は、不正を行っても、他国の抗議に依らず、時間が経てば自分の発意でそれを修正するものと語った。その時、幣原はただその忠告を「なるほどそういうものかと、謹聴したのであった」が、後にパナマの通航税についてアメリカが修正したのを見て、「ブライス氏の先見に敬服せざるを得なかった」と書いている。米国世論の一部が恐れたように、日本政府が排日移民問題を国際連盟に上程することはなかった。[54]

ジュネーブ議定書

その後もオーストラリアは、日本の人種平等に向けた動きに対して警戒を怠らなかった。すでに首相を退いていたヒューズは、一九二四年一〇月二日に国際連盟総会で採択された国際紛争平和的処理議定書、いわゆるジュネーブ議定書を危険視した。この件についての『タイムズ』紙特派員とのインタビューの中でヒューズは、新設された常設国際司法裁判所と日本の動きに関連して、日本の動きに注意を怠るべきではないと警告している。この議定書は、すべての国際紛争を付託する仲裁制度を受諾することを義務付けていた。そのため、ヒューズは、もしオーストラリアがこれに署名し、日本が移民問題について訴え出た場合、常設国際司法裁判所の判断次第によっては、白豪主義が破られることにもなりかねないというのである。彼は、そもそも自分が参加したパリ講和会議で誕生した国際連盟は、世界政府などではなく、加盟国間の紛争を調停する存在に過ぎず、その下で望まない地域からの移民の流入などからオーストラリアは守られてきたとする。ところがその安全が、常設国際司法裁判所によって脅かされるかもしれないというのである。この裁判所の裁判官に誰が任命されるかはいまだわからず、どのような方針に基づいて裁判が行われるかも不明である。[55]

ヒューズは、その裁判所によって「オーストラリアが東洋に門戸を開くことが世界にとってよりよいと決せられるなら、それはオーストラリアの終わり」だとまで強調した。そのようなことは起こらないだろうと法律の専門家たちは言うし、そのようなことは起こらないかもしれないが、起こりうるということは確かだと述べてヒューズは危機感を煽った。その根拠として、ヒューズは、パリ講和会議における牧野の動きを想起する。人種平等の修正案は原則を述べたものに過ぎないと牧野は言いつつ、ならば、移民の目的や自治の権利を損なうためには用いないとの文言を付け加えるようヒューズが迫った時、牧野は同意できなかったことを、どのような手段も、日本には移民問題に利用する意図があることの証左であるとした。そして、日本が長年にわたって闘い求めて来た原則が、アメリカの移民法や白豪主義に用いられることはないだろうと言われているが、そのような見解をオーストラリアは受け入れないと断言する。なぜなら、「日本人は愛国主義的な国民であるだけでなく、非常に実際的な国民である」からであった。日本人は長年にわたって求め、パリでは失敗した人種平等原則の承認を新設の裁判所には求めないというが、もし求めた場合、裁判所がどのような判断をするかは誰にもわからない。自国の安全を、海のものとも山のものともつかない裁判所の不確かな行動と交換するよう求められているのだとして、ジュネーブ議定書をはねつけるべきと結論付けた[56]。一九二四年一〇月二日に総会で採択されていたこの議定書は、翌年、政権交代したイギリスによって方針を変更し、未発効に終わっている。

日本の国際連盟脱退以後

その後、日本は一九三三年二月二四日の国際連盟総会で松岡が退場し、三月二七日に脱退を通告して国際連盟を脱退した。そのため、牧野が宣言したように国際連盟の場において人種差別撤廃提案を再提案することはなかった。

　ナチスドイツが台頭すると、その人種差別的教義に対抗する形で、米英は民主主義的価値観と人権の保護について、高らかに宣言していくことになる。一九四一年一月、前年一一月に前例のない大統領選挙三選を果たしたフランクリン・ルーズベルト大統領は、恒例の一般教書演説で、「四つの自由」について演説した。それは「言論と表現の自由」、「信教の自由」、「欠乏からの自由」、そして「恐怖からの自由」であり、それらの重要性を述べたうえで、演説の末尾で「自由とは、あらゆる場所における人権の優越を意味する」と述べた。

　続いて、一九四一年八月にニューファンドランド沖で会見したルーズベルト大統領とウィンストン・チャーチル首相は、大西洋憲章を発表したが、そこにも年頭教書の精神は盛り込まれていた。中でも恐怖と欠乏からの自由が強調された。また、民族自決の尊重が謳われていた。ただ、具体的な表現は避けられ、イギリスの植民地の扱いなどについて具体的なことには触れられていなかった。一九四二年一月には、この戦争に完全に勝利することが、「生命、自由、独立、そして宗教的自由を擁護するために、そして、人権と正義を保持するため」に不可欠との文言を含んだ連合国共同宣言が、米英ソをはじめとする二六カ国によって調印された。

　これらの演説や宣言には、人権や正義の保持は高らかに謳われていたものの、人種という文言は巧みに除かれていた。果たして、人権と正義の保持に人種差別の除去は含まれているのか、人権と正義は非白人にも適用されるのか、植民地の住民にも適用されるのかといったことは曖昧なままであった。

米英の政府内でもその点は、問題になってはいた。イギリス帝国内の非白人は幅広く動員され、連合国のために戦っていたし、アメリカ黒人もしかりであった。日本軍はアジア各地で、米国内の黒人暴動について触れ回り、また、中国人に対しては中国の同盟国であるアメリカがいかにアジア人を差別しているのかを宣伝して、国務省を苛立たせていた。自らを人権を擁護する正義の側と定義し、世界中で戦う連合国にしてみれば、人種差別的であるとみられるのは都合の良いことではなかった。しかし、英米の首脳たちは人種差別解消にそれほど熱心ではなかったし、それはユダヤ人に対するナチスの残虐行為を知って以降の米英政府の対応を見ても明らかであった。加えて、オーストラリアやニュージーランドなどの白人自治領も、人種差別問題を戦中にことさら取り上げたくはなかった[57]。

人種差別について曖昧にしておきたい米英の政府関係者にとって、厄介な存在が中国であった。連合国において米英ソと並ぶ第四の大国として、中国が存在していたからである。しかも中国は時として、対日戦争を熱心に戦っているようには見えない時があった。国務省で極東問題を仕切るホーンベックなど米英の政府関係者は、中国がいつか、人種が同じ日本に寝返るのではないかと常に不安に感じていた。連合国から中国が抜けると、軍事的にマイナスであるだけでなく、連合国が白人同盟のように見えかねないことも気がかりであった。

一九四三年には、一九一九年のパリ講和会議で牧野たちと席をともにした顧維鈞が、蔣介石夫人の宋美齢を伴ってアメリカを訪れた。一八八二年以来、中国はアメリカへの移民や帰化を禁じられていたが、その差別を正そうというのである。自分のような高齢の男性よりも、若い頃から美人三姉妹と評判の高かった宋美齢が訴えかけたほうが、アピール力があると、熟達した外交官の顧維鈞にはわかっていた。宋美齢は、同盟国として戦う中国人に対する差別措置の撤廃を訴えた。中国では日本軍によって、「いくら中国がアメリカの味方をしても、アジア人を差別するアメリカにあなたたちは入国することもできない」という宣伝活動が繰り広げられており、米国政府はそれを煩わしく思っていた。その結果、日本が一九二四年に移民法で移民を禁止されて以降、どれだけ努力しても成し遂げられなかった移民修正を中国はあっという間に成し遂げたのであった。

新たな国際機関設立への動き

この間、米英両国とも、どのように人権の擁護を文書で表現するかについて検討を重ねていた。米国は特別司法小委員会を設置し、どのように非差別条項を盛り込むかを検討した。そのでき上がった草案には「国籍、言語、人種、政治的信条、宗教的信仰を理由として」差別されてはならないとの文言があった。また、国際連盟に代わる国際機関を創設することが明らかとなってくると、国務省はその新たな国際機関の憲章案をさっそく作成した。その中には「人種を理由とする差別」の禁止も含まれていた。民間でも同様の検討が重ねられていた。中でも有力なのはパリ講和会議にも参加したジェームズ・ショットウェルが中心となり、カーネギー財団の支援を受けた平和機構研究委員会であった。この委員会の研究にも人種問題への配慮が見られる。一九四四年四月にショットウェルが委員長としてまとめた第四報告書第三部には次のような記載がある。

我々は、パリでウィルソンが人種平等の原則を拒否したこと、すなわち東洋世界を苛立たせたこの拒否のせいで罰せられているかもしれない。わが国における手に負えない黒人の状況は、敵のプロパガンダの格好の餌となり、わが国の理想を乾パンのようにのどに詰まらせている。反ユダヤ主義において、私たちはナチスの歪んだ顔を映し出す鏡である。私たちは自分の大いなる欠点を忘れて他人に見いだす小さな欠点を見過ごすわけにはいかない[58]。

大国のトップのなかにも同様の配慮を見せる者もあった。ルーズベルトは一九四四年三月二四日に次のように表明している。

連合国は、専制と侵略が存在しえない世界、自由と平等と正義に基づく世界、すべての人々が人種、肌の色、信条に関わらず平和に名誉と尊厳を保って生きていけるような世界を作るために戦っている[59]。

植民地問題をイギリスほど抱えていないルーズベルトは人種平等を対外的に前面に出すことにやぶさかではなかったのである。

新たな国際機関設立の動きは一九四四年夏には具体化し、ワシントン郊外のダンバートン・オークスで、連合国の大国会議が開催されることになった。米国政府が中国の参加を必要としたことを謝す書簡の中で蔣介石は、新たな国際機関の創設を話し合う会議に「アジア諸国民の出席がなければ、人類の半分にとって意味がないだろう」と強調した[60]。その二カ月ほど後に中国から提出された国際機関に関する公式提案には、冒頭に六つの一般原則が列挙されていた。第一は、「当該国際機関は普遍的な性格を持ち、最終的にはすべての国家を含むものとする」とされていたが、それに続いて、第二原則として、「すべての国家とすべての人種について平等の原則が維持されるものとする」と、人種に関する平等原則が掲げられていた[61]。

これを観察していた人々は、一九一九年の日本の試みを想起しないわけにはいかなかった。中でも、当時も鋭い論評を寄せていたアフリカ系アメリカ人の雑誌『クライシス』は当時、英国外相が、中央アフリカの黒人がヨーロッパの白人と同じとは納得いかないと述べて、日本が提案した人種差別撤廃提案を否決したことを思い出し、今回の中国の闘いも厳しいものになるだろうと予期した。彼らの理解では、日本が現在の戦争に至った原因の一つは、パリ講和会議における人種差別撤廃提案の否決であった。

英米が人種平等条項に反対し日本は負けた。太平洋の委任統治の島々で日本をなだめる努力がなされたが、おそらく「白人」諸国民がヴェルサイユで人種平等を考慮することを無遠慮に拒否したことが、後に国際連盟の脱退、満洲と中国への冒険、そして米国との戦争へと日本を駆り立てたのだろう。

いまや中国が同じ要求をしている。中国の方が二五年前の日本よりも有利かもしれない。

アジアでの勝利には中国が必要である。我々がいかに何千平方マイルもの海を覆おうと、いかに多くの島を取り戻そうと、中国なしには太平洋戦争に負けかねない。我々が原則としての人種平等を再び冷たくあしらうなら、何億という極東の人々に説かれている日本の教義が正しいと証明するだけだ。すなわち、西洋諸国に協力しても未来はない、なぜなら、かれらは「白人至上主義」にコミットしているからだ。(62)

そうしてこの記事は、ソ連が人種平等に賛成するかもしれないが、米英の反対では採択は難しく、「人種に沿った次のもっと恐ろしい戦争の種が蒔かれるか」わからない、と結んでいる。

ダンバートン・オークス会議は二回に分かれて開催され、第一回はソ連の意向に沿って、中国を除いた米英ソの三大国によって行われた。これらの三大国はいずれも、中国が提案したような人種平等を憲章に盛り込むことには積極的ではなかった。特に英国代表団長のアレクサンダー・カドガン卿は、人種平等原則にコミットすると、「移民問題が絡んでいるという一九一九年のまったく根拠のない懸念が復活するかもしれない」と、パリ講和会議における日本の人種差別撤廃提案を想起した。(63)

第二回はソ連の代わりに中国が参加し、米英中で話し合いが行われた。パリ講和会議でも中国代表を率いたあの顧維鈞が中国代表団長であった。しかし、顧維鈞が参加してみると、草案のたたき台には、中国の提案に含まれた人種平等原則はまったく見当たらなかった。それどころか、平和機構研究委員会の自らの態度を反省するような姿勢もなく、国務省内で作成された草案や特別司法小委員会の草案の人種に関する記述はどこにも見当たらなかったのである。しかし顧維鈞はそこにはこだわらず、正義を強調し、新しい国際機関に武力や外交の役割だけでなく、道徳的意味合いを持たせることの重要性について語った。結局、ダンバートン・オークス会議で作成された憲章草案は、人種については触れることはなく、第二章に「機構はすべての平和愛好国の主権平等原則に基づく」と書かれ、また第九章に「機構は［……］人権と基本的自由を促進する」とあるのみであった[64]。このように、中国のみが非白人国として参加したダンバートン・オークス会議では、新機構の草案に人種については盛り込まれず、サンフランシスコでの連合国会議に持ち越された。

出発点としての人種差別撤廃提案

一九四五年四月、サンフランシスコで新たな国際機関設立に向けて、ダンバートン・オークス会議で起草された憲章の草案が議論されることになっていた。ダンバートン・オークス会議で草案の作成に参加できたのは米英ソ中の四カ国のみであったが、サンフランシスコには、多くの非白人国を含む連合国四〇カ国以上が集う予定であり、人種平等問題が提起されることは大いに予想された。ニュージーランド外務部のトップは、英外務省の担当者に宛てた書簡の中で、次のように懸念を表明している。

外交部はむしろ中国人が、講和会議において、もしくはそれ以前に、日本人がヴェルサイユでやったのと同じやり方で、人種平等原則の公的承認を求めてくるだろうと予想している。ヴェルサイユでは、ヒューズ氏（当時豪首相）とマッセー氏（当時ニュージーランド首相）がこの圧力に対抗して、どのような方式が採用されようとも、移民の権利を明確に除外すべきであると要求し、その結果、中国と日本を大いに怒らせ、日本の提案は最終的に取り下げられたことは記憶に新しい。英外務省はこの人種平等の問題について、まだ特別な研究をしているのだろうか。確かに、こちらの当局に提供してもらえる資料があれば歓迎するし、役に立つだろう。[65]

オーストラリアも同様の懸念を抱いていた。彼らにとって、パリ講和会議における日本案を巡る一連の出来事は、「昨日のことのように」思い出されたのである。

オックスフォード大学オール・ソウルズ・カレッジのフェローを務め、イェール大学で朝河貫一に学んだこともあるG・F・ハドソンは当時ロンドンの外務省で勤務していたが、これらのオーストラリアやニュージーランドの懸念について、理解を示している。三月一九日付のコメントにおいて次のように記している。

とはいえ、人種平等が基本条約に盛り込まれれば、将来中国やインドが「白豪主義」に異議を唱えることは容易になるだろうし、オーストラリア人が、このような一見無害な原則声明の中に楔の尖った先を見るのももっともだ。[66]

これら自治領の懸念に理解を示していたハドソンも、「戦後の和解の中で、人種平等が何らかの形で再び浮上する可能性は高いと思われる」と記し、人種平等問題が、戦後処理を扱う会議に於て噴出すると予測していた。

四月にサンフランシスコ会議が開幕するとさっそく、この問題は噴き出した。ダンバートン・オークス会議に参加できなかった多くの国々が、第一章に漠然とした表現で置かれている人権に関する文言を、より明瞭なものにして冒頭に置くべきと主張したのである。また、オブザーバーとしての参加が認められていたデュボイスなどアフリカ系活動家たちは、人種平等にむけて努力すべきであると訴えた。インドも人種、肌の色、信条による差別の禁止を盛り込むことを要求した。大国の中では、フランスが人種差別を禁止することに賛成した。これは大国の中では異例であったが、パリ講和会議の国際連盟委員会において日本案に賛成したことを思い起こさせるものであった。そのような中、ダンバートン・オークス会議では人権にすら反対していたソ連が賛成に回り、米英を驚かせた。中国も声を上げ、ダンバートン・オークス会議に向けて送付した提案を再び取り上げ、人種平等を盛り込むことを主張した(67)。

こうして国際連合憲章は、第一条の国際連合の目的の一つとして、「人種、性、言語又は宗教による差別なくすべての者のために人権及び基本的自由を尊重するように助長奨励することについて、国際協力を達成すること」を挙げた。また総会の役割を記した第一三条においても「人種、性、言語又は宗教による差別なくすべての者のために人権及び基本的自由を実現するように援助すること」と記した。また国際信託統治制度について定めた第七六条においても「人種、性、言語又は宗教による差別なくすべての者のために人権及び基本的自由を尊重するように奨励し、且つ、世界の人民の相互依存の認識を助長すること」という形で盛り込まれた。

一般的な表現であり、第二条に「この憲章のいかなる規定も、本質上いずれかの国の国内管轄権内にある事項に干渉する権限を国際連合に与えるものではなく、また、その事項をこの憲章に基く解決に付託することを加盟国に要求するものでもない」と書かれているものの、牧野ら日本代表が一九一九年に全力を尽くしてなし得なかったことが、こうして一九四五年のサンフランシスコにおいて達成されたのであった。しかし、その場に日本代表の姿はなかった。

人種差別撤廃は、国連憲章の採択によって成し遂げられたのではなく、出発点であった。その努力は、一九四八年の世界人権宣言の採択を経て今日まで続けられている。

註

（1）Lansing, *The Peace Negotiations*, p. 255
（2）*PWW*, vol. 58, p. 185; 一九二一年出版の回顧録にこの覚書が掲載されたときは、バルフォアの名前が伏字となっている。
（3）内田外相宛松井大使電文、大正八年四月二九日、人種差別撤廃　第二巻
（4）「時局ニ関スル請願書」大正八年五月二一日、人種差別撤廃　第二巻
（5）内田外相宛松井大使電文、大正八年六月二九日、人種差別撤廃　第二巻
（6）『日本外交文書』大正八年第三冊上巻、七九四頁
（7）Harold Nicolson, *Peacemaking 1919* (New York, 1965), pp. 145-146

（8）*PWW*, vol. 57, pp. 239-240
（9）『日本外交文書』大正八年第三冊上巻、七九四頁
（10）刀禰館正雄編『日本外交秘録』（朝日新聞社、一九三四年）、一四五頁
（11）*Crisis*, vol. 18, no. 1 (May 1919), pp. 10-11
（12）*Peking Leader*, 2 Sept. 1919
（13）*Cincinnati Enquirer*, 16 July 1919
（14）K. K. Kawakami, *Japan and World Peace* (Macmillan, 1919), pp. 55-56
（15）『東京朝日』、大正八年八月二六日、二九日
（16）西園寺全権委員復命上奏文、巴里講和会議主要文書集
（17）牧野全権委員復命上奏文、巴里講和会議主要文書集
（18）*Le Journal*, 25 Dec 1919
（19）*Sydney Morning Herald*, 8 January 1920; 内田外相宛玉木領事代理電報、大正九年一月八日、人種差別撤廃第二巻
（20）*Sydney Morning Herald*, 19 August 1920
（21）*Long Beach Daily Telegram*, 15 September 1920
（22）*Salt Lake Telegram*, 13 May 1919
（23）衆議院議事速記録、大正九年一月二二日
（24）同右
（25）*Asian Review*, vol. I, no. 7 (Oct. 1920)
（26）*Asian Review*, vol. I, no. 8 (Nov.-Dec. 1920)
（27）『日本外交文書』大正九年第三冊上巻、二七六頁
（28）*Washington Evening Star*, 30 November 1920
（29）国際連盟総会議事録、大正九年一一月三〇日
（30）海野芳郎『国際連盟と日本』（原書房、一九七二年）、三六頁
（31）『東京朝日』大正九年一二月四日

(32) *Asian Review*, vol. II, no. 1 (Jan. 1921)
(33)『日本外交文書』大正一〇年第三冊上巻、四九頁
(34) 石井大使来電(一九二一年二月八日着)、臨時外交調査会会議筆記(伊東伯爵家文書)内田幹事長発原総裁宛送付資料(原敬文書)
(35)『東京朝日』大正一〇年四月三日
(36) 内田外相宛武者小路代理公使電報、大正一〇年四月二三日、国際連盟協会、外交史料館
(37) 石井大使宛内田外相電報、大正一〇年六月四日、国際連盟協会
(38) 内田外相宛松田代理大使電報、大正一〇年六月二四日、国際連盟協会
(39)『国際連盟』二巻四号(大正一一年四月一日)、一〇八頁
(40) 内田外相宛本多公使電報、大正一〇年一〇月一九日、国際連盟協会
(41) 内田外相宛石井大使電報、大正一一年二月一日、国際連盟協会
(42) 松田代理大使宛内田外相電報、大正一一年五月一〇日、国際連盟協会
(43) 内田外相宛長岡公使電報、大正一一年四月四日、国際連盟協会
(44) International Federation of League of Nations Societies, Bulletin No. 4, Summary, Conference at Prague (June 4-7) Resolutions, May-June, 1922
(45) 山田宙子「第一回国際移民会議」『外交史料館報』第四号(一九九一年)、五九〜七三頁
(46) 同右
(47) 同右
(48) 同右
(49) 落合大使宛松井外相電報、大正一三年一月一八日、山田宙子「第一回国際移民会議」、六八頁
(50) 松井外相宛落合大使電報、大正一三年四月二四日、山田宙子「第一回国際移民会議」、七〇頁
(51) 落合大使宛松井外相電報、大正一三年五月一五日、山田宙子「第一回国際移民会議」、七〇〜七一頁
(52) Caffery to Hughes, 5 October 1924, 711.945/1230, US Dept. of State files, RG 59, National Archives, Washington, DC
(53) *Baltimore Sun*, 10 June 1924

（54）幣原喜重郎『外交五十年』（中公文庫、一九八七年）、五二～五六頁
（55）*The Times*, 13 October 1924
（56）同右
（57）ローレン『国家と人種偏見』、第五章
（58）Commission to Study the Organization of Peace, "International Safeguard of Human Rights," Fourth report, part III,（15 April 1944）, p. 15
（59）*FRUS*, 1944, vol. I, pp. 1230-1231
（60）*FRUS*, 1944, vol. I, p. 640
（61）*FRUS*, 1944, vol. I, p. 718
（62）*Crisis*, Oct. 1944, p. 312
（63）Cadogan to Foreign Office, 29 Sept. 1944, FO371/40716, National Archivies, UK
（64）ローレン『国家と人種偏見』、二二四頁
（65）Day to Bennett, 17 Feb. 1945, FO371/46324, National Archivies, UK
（66）Comments of G. F. Hudson, 19 March 1945, FO371/46324, National Archivies, UK
（67）ローレン『国家と人種偏見』、二二八～二三〇頁

おわりに

パリ講和会議における日本代表による人種差別撤廃提案提出の一件に対しては様々な評価がされている。オックスフォード大学オール・ソウルズ・カレッジのフェロー、G・F・ハドソンは、一九三七年の著書『世界政治における極東』の中で、日本は「合衆国と英自治領によって引かれたカラーラインを強調しただけに終わった」と低く評価している[1]。

一方で、日本代表団関係者は、牧野らの働きを高く評価している。書記官の一人として立ち会った澤田廉三は次のように書き残している。

牧野伯が国際連盟委員会において、人種平等論を提げ、連盟規約中に各人種の無差別待遇に関する規定を挿入せしめんとして、提案は破れたけれども、その奮闘の記録は有効に残されることとなつたこと、などは大いに吾々の意を強うせしむるに足るものがあつた[2]

ただ実際、様々な重要問題について話し合ったパリ講和会議において日本代表が提案した人種差別撤廃提案は、他の多くの国々にとっては中心的議題とは言えなかったのも事実である。何人もの英米の関係者は、五大国の一つとして日本が中小白人国よりも上に扱われているのであるから、わざわざそのような提案をすることは無意味ではないのかと考え、牧野にそのように話している。

ただ、日本代表と、非白人国や被差別国にとっては違っていたし、また、それを防ごうとしたオーストラリアにとっても大きな意味を持っていた。オーストラリア首相ヒューズは、この問題を日本全権同様に、もしかするとそれ以上に重要視した。自らの蔵書の一冊であるロイド＝ジョージ英首相の著書『講和条約の真実』の人種提案について書かれたページの余白にヒューズは、「彼にとってはモグラ塚だが、我々にとってはエベレストだ」と書き込んでいることが、象徴的にそのことを表している。日本とオーストラリアがそれぞれを代表してぶつかったともいえる。そして一九一九年の時点では、後者を支持する力が勝っていた(3)。

牧野らの働きぶりはどう評価されるべきだろうか。まず驚かされるのが、土日もなく働き詰めということである。午前から打ち合わせや会議があり、昼食後も会議、夕食後の会議の多くは深夜までおよび、時に日をまたぐこともあった。多忙なのは牧野に限ったことではなく、英代表のセシルも夜半に及んだ会議において眠さのあまりストップをかけるべき議題を見逃してしまったことがあったと日記に書いている(4)。会議に全身全霊を注いでいたウィルソンなどはどの会合にも自分の都合で一分たりとて遅れることはなく、他の代表がうつらうつらと船を漕ぐ中、一切居眠りすることはなかった。それどころかウィルソンは、重要な十人会議が午後のお茶で当然の如く中断されマカロンが供された時には内心呆れ返ったほどであった。ただ、大統領自身が出なくてもよいとハウスなどが考える委員会にも出席しており、時にその疲れ切った姿を見たハウスは心配するほどであった(5)。

パリの日本代表は、たまたまパリを訪れていた日本人旅行者までスタッフとして雇い入れざるを得ないほどの人員不足で、その少ない陣容ですべてに対応していたため、牧野や珍田らのサポートが十分にできていたとはいえない。そのような中、クレマンソーから「あの小さいの、なんて言ってるんだ」などと聞こえよがしに言われながら、重要なところでタイミングを逸せずに発言するのは大変なことであっただろう。しかも東京の政府からは、パリの実情を正確にはわからずにちぐはぐな指示が舞い込むこともあった。さらには、外務省からは日本国内における有力な人種差別撤廃期成同盟会の集会についてのみならず、地方における無名人士によるものまで、あたかも世論の圧力をそのままパリの日本代表に丸投げするがごとく、パリに送信してきていた。

世論の圧力は、パリ講和会議の他の問題についても及んでいた。山東半島の権益にしても、最終的に中国に返還する方針は決まっていたことを考えると、いったんドイツから日本に委譲し、日本から中国に返還するという手続きにこだわったのは悪手であったことは明らかである。直接ドイツから中国に返還ということになっていれば五四運動も起きず、人種問題でも中国代表からより積極的な支援が得られたかもしれない。ただ、日本国内の世論の盛り上がりを抑え込むためには、日本政府としてはいったん日本に委譲するという手続き論にこだわらざるを得なかったともいえる。原や牧野が相手にしなければならなかったのは、もはや伊東巳代治や軍関係者だけではなく、影響力を拡大しつつあった大正デモクラシーの世論でもあった。

このテーマについての研究の主たる出発点は、邦文では池井優「パリ平和会議と人種差別撤廃問題」『国際政治』第二三号（一九六三年一〇月）、英文ではNaoko Shimazu, *Japan, race and equality: the racial equality proposal of 1919* (Routledge, 1998) としたが、その後も研究は進展し、それらについては『吉野作造研究』第一八号（二〇二二年四月）に掲載された、奈良岡聰智先生の「日本におけるパリ講和会議研究の現状と課題――日本に関係する諸問題を中心として」と江子正「パリ講和会議に関する中国語研究と人種平等提案研究の現状と課題」が詳しい。英字参考文献としてはMargaret MacMillan, *Peace Makers: Six Months that changed the World* (John Murray, 2001) の巻末のものが詳しい。本書の参考文献リストには本書が特に依拠したものを中心に挙げたので、それ以外はそれらの参照をお願いしたい。

二〇一九年に開催された日本国際問題研究所主催の人種差別撤廃条項提案一〇〇周年シンポジウムからも多くを学ばせていただいた。これは、細谷雄一先生司会のもと、戸部良一先生、庄司潤一郎先生、川島真先生が、それぞれ専門の立場から人種差別撤廃条項提案に迫ったものである。なかでもこのシンポジウムのパネリストのおひとりである戸部良一先生には、大変お忙しい中拙稿を御高覧いただき、貴重なアドバイスを賜った。ご厚意に心より御礼申し上げたい。ただし、記述の誤りやミスの責任がすべて私にあることは、改めていうまでもない。また、楠綾子先生を始めとする多くの方々にも助けていただいた。本テーマの第一人者であられる島津直子先生には、ロンドンで筆者が右も左もわからずにいるところを助けていただいた。徐国琦氏には、互いが二〇代の頃から今日に至るまで常にその笑顔で励ましてもらっている。安野正士氏の鋭いコメントには学部時代から今日に至るまで啓発させてもらっている。本書の執筆はちょうどコロナ禍と重なった。世界中で吹き荒れるアジアン・ヘイトの嵐に、本書で扱った人種というテーマの重要性を改めて痛感させられた。他方、コロナ禍で多くの図書館が部外者に門を閉ざしてしまったのには大いに困った。それを相互貸借制度を用いて助けてくれたのが明治大学中央図書館レファレンスカウンターの司書の方々である。厚く御礼申し上げる。

本書執筆のきっかけは、筒井清忠編『大正史講義』（ちくま新書、二〇二一年）において「人種差別撤廃提案」の項目を書くようご指名頂いたことによる。その時の短い一項目が最終的に本書となった。筒井先生のお声がけに改めて感謝申し上げたい。ただ、完成させるとお約束した期日から随分月日が流れてしまい、申し訳ない限りである。最初から最後まで、筑摩書房の松田健氏には大変お世話になった。厚く御礼申し上げる。末尾に家族への謝意を記すことをお許し願いたい。

註

（1）G. F. Hudson, *The Far East in World Politics: A Study in Recent History* (Oxford University Press, 1937), p. 182

（2）澤田廉三『凱旋門広場』、三〇～三一頁

（3）L. F. Fitzhardinge, "W. M. Hughes and the Treaty of Versailles, 1919," *Journal of Commonwealth Political Studies*, vol. 5, no. 2 (July 1967): 141

(4) Cecil diary, 24 March 1919
(5) House diary, 22 March 1919

参考文献

公的記録

外務省編『日本外交文書』大正七年第三冊（外務省、一九六九年）
外務省編『日本外交文書』大正八年第三冊上巻（外務省、一九七一年）
外務省編『日本外交文書』大正九年第三冊上巻（外務省、一九七三年）
外務省編『日本外交文書』大正十年第三冊上巻（外務省、一九七五年）
外務省編『日本外交文書　巴里講和会議経過概要』（外務省、一九七一年）
外務省百年史編纂委員会編『外務省の百年』上巻、（原書房、一九六九年）
Foreign Relations of the United States, The Paris Peace Conferene, 1919, vol. I-vol. XIII. Washington, DC: Government Printing Office, 1942-47
Foreign Relations of the United States, 1944, vol. I. Washington, DC: Government Printing Office, 1966

関係者の記録

有田八郎『馬鹿八と人はいう　一外交官の回想』（中公文庫、二〇二二年）
石橋湛山全集編纂委員会編『石橋湛山全集』第三巻、第四巻（東洋経済新報社、二〇一〇年）
伊東巳代治（小林竜夫編）『翠雨荘日記　臨時外交調査委員会会議筆記等』（原書房、一九六六年）
大隈重信『侯爵大隈重信述　人種問題』（早稲田大学出版部、一九一九年）
近衛文麿「英米本位の平和主義を排す」『日本及日本人』七四六号（一九一八年一二月）

――『最後の御前会議／戦後欧米見聞録　近衛文麿手記集成』（中公文庫、二〇一五年）
澤田廉三『凱旋門広場』（角川書店、一九五〇年）
重光葵『外交回想録』（中公文庫、二〇一一年）
幣原喜重郎『外交五十年』（中公文庫、一九八七年）
幣原平和財団編『幣原喜重郎』（幣原平和財団、一九五五年）
竹下勇（波多野勝他編）『海軍の外交官　竹下勇日記』（芙蓉書房出版、一九九八年）
田村直臣『我が見たる原首相の面影』（警醒社書店、一九二二年）
陳独秀（長堀祐造他編）『陳独秀文集1』（東洋文庫、二〇一六年）
刀禰館正雄編『日本外交秘録』（朝日新聞社、一九三四年）
中野正剛『講和会議を目撃して』（東方時論社、一九一九年）
奈良武次（黒沢文貴他編）『陸軍大将奈良武次日記　第一次世界大戦と日本陸軍』上・下（原書房、二〇二〇・二一年）
蜷川新『巴里講和會議と私の日記』（蜷川新、一九二六年）
原奎一郎編『原敬日記』（福村出版、一九六五～六七年）
堀内謙介「第一次世界大戦ヴェルサイユ媾和会議の回想」『キング』一九五一年一月号
――『堀内謙介回顧録――日本外交50年の裏面史』（サンケイ新聞社、一九七四年）
牧野伸顕『回顧録』下（中公文庫、一九七八年）
松井慶四郎『松井慶四郎自叙伝』（刊行社、一九八三年）
吉野作造「人種的差別撤廃運動者に与ふ」『中央公論』第三六七号（一九一九年三月）
――「人種的差別撤廃問題について」『中央公論』第三六九号（一九一九年五月）
李大釗、陳独秀『守常文集』『独秀文存』民国叢書第一編九二（上海書店、一九八九年）
立命館大学西園寺公望伝編纂委員会編『西園寺公望伝』第三巻（岩波書店、一九九三年）

Baker, Ray Stannard. *Woodrow Wilson and World Settlement: written from his unpublished and personal material*. Vol. II and III, Doubleday, Page & Co., 1922-23

Bonsal, Stephen. *Unfinished Business*. Doubleday, Doran and Co., 1944

———. *Suitors and suppliants; the little nations at Versailles*. New York, Prentice-Hall, inc., 1946

Borden, Robert Laird. *Robert Laird Borden: His Memoirs*. Vol. II, McClelland and Stewart Ltd., 1969

Lord Robert Cecil diary, British online archives

Hill, Robert A. ed., *The Marcus Garvey and Universal Negro Improvement Association Papers*, vol. I. Berkeley, 1983

Edward M. House diary, Yale University

Hudson, G. F. *The Far East in World Politics: A Study in Recent History*. Oxford University Press, 1937

Hughes, W. M. *Policies and Potentates*. Sydney, 1950

Kawakami, K. K. *Japan and World Peace*. Macmillan, 1919

Lansing, Robert. *The Peace Negotiations: a personal narrative*. Houghton Mifflin, 1921

Link, Arthur S. ed., *The papers of Woodrow Wilson*. Princeton University Press, 1966-94

——— ed. *The deliberations of the Council of Four*, vol. I. Princeton UP, 1992

Lodge, Henry Cabot. *The Senate and the League of Nations*. Charles Scribner's Sons, 1925

Miller, David Hunter. *My diary at the Conference of Paris: with documents*（privately printed, 1924）

———, *Drafting the Covenant*. New York: G. P. Putnam's Sons, 1928

Nicolson, Harold. *Peacemaking 1919*. New York, 1965

Seymour, Charles ed., *The Intimate Papers of Colonel House*. Houghton Mifflin Co., 1926-28

Shotwell, James T. *At the Paris Peace Conference*. Macmillan, 1937

Steed, Henry Wickham. *Through thirty years: a personal narrative*, vol. 2. Heinemann, 1924

Taylor, A. J. P. ed. *Lloyd George: A Diary by Frances Stevenson.* Hutchinson of London, 1971
Zimmern, Alfred. *The Prospects of Democracy and other Essays.* Chatto & Windus, 1929

研究書・研究論文など

荒木圭子『マーカス・ガーヴィーと「想像の帝国」　国際的人種秩序への挑戦』（千倉書房、二〇二一年）
池井優「パリ平和会議と人種差別撤廃問題」『国際政治』第二三号（一九六三年一〇月）
一又正雄「日米移民問題と『国内問題』　国際法における国内問題理論出現の端緒」植田捷雄他編『近代日本外交史の研究　神川先生還暦記念』（有斐閣、一九五六年）
伊藤之雄『元老西園寺公望　古希からの挑戦』（文春新書、二〇〇七年）
海野芳郎『国際連盟と日本』（原書房、一九七二年）
NHK“ドキュメント昭和”取材班編『ドキュメント昭和1　ベルサイユの日章旗　一等国ニッポン』（角川書店、一九八六年）
大沼保昭「遥かなる人種平等の理想」大沼保昭編『国際法、国際連合と日本　高野雄一先生古稀記念論文集』（弘文堂、一九八七年）
岡義武「パリ平和会議におけるアメリカ外交とわが国世論」斎藤眞編『現代アメリカの内政と外交』（東京大学出版会、一九五九年）
川島真『中国近代外交の形成』（名古屋大学出版会、二〇〇四年）
慶應義塾大学法学部政治学科玉井清研究会『パリ講和会議と日本のマスメディア』（慶應義塾大学法学部政治学科玉井清研究会、二〇〇四年）
江子正「パリ講和会議に関する中国語研究と人種平等提案研究の現状と課題」『吉野作造研究』第一八号（二〇二二年四月）

斎藤孝「パリ講和会議と日本」『国際政治』第六号（一九五八年七月）
篠原初枝『国際連盟　世界平和への夢と挫折』（中公新書、二〇一〇年）
島津直子「人種差別撤廃案　パリ講和外交の一幕」坂野潤治・新藤宗幸・小林正弥編『憲政の政治学』（東京大学出版会、二〇〇六年）
高原秀介『ウィルソン外交と日本　理想と現実の間　1913-1921』（創文社、二〇〇六年）
陶山宣明「オーストラリア、日本そして人種平等　ヴェルサイユでの日本の人種平等案の提出とそれに対するオーストラリアの反応」『オーストラリア研究紀要』第九号（一九八四年三月）
鳥海靖「パリ講和会議における日本の立場　人種差別撤廃問題を中心に」『法政史学』第四六号（一九九四年三月）
永田幸久「第一次世界大戦後における戦後構想と外交展開——パリ講和会議における人種差別撤廃案を中心として」『中京大学大学院生法学研究論集』第二三号（二〇〇三年三月）
中谷直司「ウィルソンと日本　パリ講和会議における山東問題」『同志社法学』五六巻二号（二〇〇四年七月）
中西寛「二十世紀国際関係の始点としてのパリ講和会議（一）」『法学論叢』第一二八巻第二号、（一九九〇年一一月）
——「二十世紀国際関係の始点としてのパリ講和会議（二）」『法学論叢』第一二九巻第二号、（一九九一年五月）
——「近衛文麿『英米本位の平和主義を排す』論文の背景——普遍主義への対応」『法学論叢』第一三二巻第四-六号（一九九三年三月）
奈良岡聰智「日本におけるパリ講和会議研究の現状と課題—日本に関係する諸問題を中心として」『吉野作造研究』第一八号（二〇二二年四月）
——『対華二十一ヵ条要求とは何だったのか—第一次世界大戦と日中対立の原点』（名古屋大学出版

会、二〇一五年）
八丁由比「国際連盟規約と幻の人種平等原則―実現しなかった原因は何か」『九州工業大学研究報告・人文・社会科学』第五九号（二〇一一年三月）
藤本博生「パリ講和会議と日本・中国 『人種案』と日使恫喝事件」『史林』第五九巻第六号（一九七六年一一月）
船尾章子「大正期日本の国際連盟観 パリ講和会議における人種平等提案の形成過程が示唆するもの」『国際関係学部紀要』第一四号（一九九五年三月）
細谷千博「牧野伸顕とベルサイユ会議」『中央公論』第八〇巻第五号（一九六五年五月）
マーガレット・マクミラン（稲村美貴子訳）『ピースメイカーズ 1919年パリ講和会議の群像』上下、（芙蓉書房出版 二〇〇七年）
松本佐保「『ラウンド・テーブル』運動とコモンウェルス インド要因と人種問題を中心に」山本正・細川道久編『コモンウェルスとは何か ポスト帝国時代のソフトパワー』（ミネルヴァ書房、二〇一四年）
間宮國夫「大隈重信と人種差別撤廃」『早稲田大学史紀要』第二一号（一九八九年三月）
山田宙子「第一回国際移民会議」『外交史料館報』第四号（一九九一年三月）
ポール・ゴードン・ローレン（大蔵雄之助訳）『国家と人種偏見』（ＴＢＳブリタニカ、一九九五年）
Akami, Tomoko. *Internationalizing the Pacific: The United States, Japan and the Institute of Pacific Relations, 1919-1945*. London: Routledge, 2001
Fitzhardinge, L. F. "W. M. Hughes and the Treaty of Versailles, 1919," *Journal of Commonwealth Political Studies*, vol. 5, no. 2（July 1967）
Hudson, W. J. *Billy Hughes in Paris: the birth of Australian diplomacy*. Thomas Nelson（Australia）in association with the Australian Institute of International Affairs, 1978

Kearney, Reginald. "Japan: Ally in the Struggle against Racism, 1919-1927," *Contributions in Black Studies*, 12（1994）

Scott, Ernest. *Australia during the War*. University of Queensland Press, 1936

Shimazu, Naoko. *Japan, race and equality: the racial equality proposal of 1919*. London: Routledge, 1998

Shoji, Jun'ichiro. "The Racial Equality Issue and Konoe Fumimaro," *Japan Review*, vol. 3, no. 3-4（Winter/Spring 2020）

Sissons, D. C. S., *The immigration question in Australian diplomatic relations with Japan 1875-1919*. Brisbane, 1971

Tang, Qi-hua, translated by Zhonghu Yan. *Chinese diplomacy and the Paris Peace Conference*. Palgrave Macmillan, 2020

Xu, Guoqi, *China and the Great War: China's pursuit of a new national identity and internationalization*. Cambridge University Press, 2005

人名索引

さ行

た行

な行

は行

ま行

や行

ら行

わ行

廣部 泉 ひろべ・いずみ

一九六五年生まれ。明治大学政治経済学部教授。東京大学教養学部卒業、ハーバード大学大学院博士課程修了。Ph.D.（歴史学）。専門は日米関係とアメリカ外交史。著書『黄禍論——百年の系譜』（講談社選書メチエ）、『人種戦争という寓話』（名古屋大学出版会）、『グルー』（ミネルヴァ日本評伝選）、『大正史講義』（共著、ちくま新書）など。

筑摩選書 0284

人種《じんしゅ》差別《さべつ》撤廃《てっぱい》提案《ていあん》とパリ講和《こうわ》会議《かいぎ》

二〇二四年七月一五日 初版第一刷発行

著者 廣部《ひろべ》 泉《いずみ》

発行者 喜入冬子

発行所 株式会社筑摩書房
東京都台東区蔵前二-五-三 郵便番号 一一一-八七五五
電話番号 〇三-五六八七-二六〇一（代表）

装幀者 神田昇和

印刷 製本 中央精版印刷株式会社

 ISBN978-4-480-01803-8 C0331

筑摩選書 0029

農村青年社事件

昭和アナキストの見た幻

保阪正康

不況にあえぐ昭和12年、突如全国で撒かれた号外新聞。そこには暴動・テロなどの見出しがあった。昭和最大規模のアナキスト弾圧事件の真相と人々の素顔に迫る。

筑摩選書 0063

戦争学原論

石津朋之

人類の歴史と共にある戦争。この社会的事象を捉えるにはどのようなアプローチを取ればよいのか。タブーを超え、日本における「戦争学」の誕生をもたらす試論の登場。

筑摩選書 0072

愛国・革命・民主

日本史から世界を考える

三谷 博

近代世界に類を見ない大革命、明治維新はどうして可能だったのか。その歴史的経験から、時空を超える普遍的英知を探り、それを補助線に世界の「いま」を理解する。

筑摩選書 0099

明治の「性典」を作った男

謎の医学者・千葉繁を追う

赤川 学

『解体新書』の生殖器版とも言い得る『造化機論』四部作。明治期の一大ベストセラーとなったこの訳書を手掛けた謎の医学者・千葉繁の生涯とその時代を描く。

筑摩選書 0105

昭和の迷走

「第二満州国」に憑かれて

多田井喜生

破局への分岐点となった華北進出は、陸軍の暴走と勝田主計の朝鮮銀行を軸にした通貨工作によって可能となった。「長城線を越えた」特異な時代を浮き彫りにする。

筑摩選書 0116

戦後日本の宗教史

天皇制・祖先崇拝・新宗教

島田裕巳

天皇制と祖先崇拝、そして新宗教という三つの柱を軸に、戦後日本の宗教の歴史をたどり、日本社会と日本人の精神がどのように変容したかを明らかにする。

筑摩選書 0117

戦後思想の「巨人」たち
「未来の他者」はどこにいるか

高澤秀次

「戦争と革命」という二〇世紀的な主題は「テロリズムとグローバリズムへの対抗運動」として再帰しつつある。「未来の他者」をキーワードに継続と変化を再考する。

筑摩選書 0119

民を殺す国・日本
足尾鉱毒事件からフクシマへ

大庭健

フクシマも足尾鉱毒事件も、この国の「構造的な無責任」体制＝国家教によってもたらされた――。その乗り越えには何が必要なのか。倫理学者による迫真の書！

筑摩選書 0131

「文藝春秋」の戦争
戦前期リベラリズムの帰趨

鈴木貞美

なぜ菊池寛がつくった『文藝春秋』は大東亜戦争を牽引したのか。小林秀雄らリベラリストの思想変遷を辿り、どんな思いで戦争推進に加担したのかを内在的に問う。

筑摩選書 0135

ドキュメント 北方領土問題の内幕
クレムリン・東京・ワシントン

若宮啓文

外交は武器なき戦いである。米ソの暗闘と国内での権力闘争を背景に、日本の国連加盟と抑留者の帰国を実現した日ソ交渉の全貌を、新資料を駆使して描く。

筑摩選書 0141

「働く青年」と教養の戦後史
「人生雑誌」と読者のゆくえ

福間良明

経済的な理由で進学を断念し、仕事に就いた若者たち。知的世界への憧れと反発。孤独な彼ら彼女らを支え、結びつけた昭和の「人生雑誌」。その盛衰を描き出す！

筑摩選書 0146

帝国軍人の弁明
エリート軍人の自伝・回想録を読む

保阪正康

昭和陸軍の軍人たちは何を考え、どう行動し、それを後世にどう書き残したか。当事者自身の筆による自伝・回想・証言を、多面的に検証しながら読み解く試み。

筑摩選書
0209
乱歩とモダン東京
通俗長編の戦略と方法
藤井淑禎
一九三〇年代の華やかなモダン東京を見事に描いて、読者の憧れをかきたてた江戸川乱歩。都市の魅力を盛り込み大衆の心をつかむ、その知られざる戦略を解明する。

筑摩選書
0210
日本回帰と文化人
昭和戦前期の理想と悲劇
長山靖生
横光利一、太宰治、保田与重郎、三木清、京都学派……。彼らは絶望的な戦争へと突き進む日本に何を見たか。多様な作品を読み解き、その暗部に光を当てる意欲作。

筑摩選書
0214
中国共産党、その百年
石川禎浩
創立百周年を迎える中国共産党。いかにして超巨大政権党となったのか、この組織の中核的属性はどのように形作られたのか、多角的に浮き彫りにした最良の通史！

筑摩選書
0217
暴走するポピュリズム
日本と世界の政治危機
有馬晋作
橋下徹や小池百合子ら「劇場型政治家」によるポピュリズムはなぜ地方政治に現れるのか。世界のポピュリズムと比較しつつ、その暴走の危険性や対処法を論じる。

筑摩選書
0224
横浜中華街
世界に誇るチャイナタウンの地理・歴史
山下清海
日本有数の観光地、横浜中華街。この街はどのようにしてでき、なぜ魅力的なのか。世界中のチャイナタウンに足を運び研究してきた地理学者が解説。図版多数収録。

筑摩選書
0228
中庸民主主義
ミーノクラシーの政治思想
崔 相龍
小倉紀蔵 訳
儒学とギリシア哲学に共通する中庸の政治哲学を現代に活かすべく「中庸民主主義」を提唱。元駐日韓国大使の政治学者が、分断の進む世界を変革する方策を考える。

筑摩選書
0231

「天下の大勢」の政治思想史
頼山陽から丸山眞男への航跡

濱野靖一郎

丸山眞男が言う日本人の「勢い」の意識とは何か。頼山陽、阿部正弘、堀田正睦、勝海舟、木戸孝允、徳富蘇峰の天下の大勢をめぐる思想から日本近代史を読み直す。

筑摩選書
0232

日清・日露戦史の真実
『坂の上の雲』と日本人の歴史観

渡辺延志

『日清戦史』草稿の不都合な事実はなぜ隠蔽されたか。『日露戦史』でもなされた戦史改竄が遺した禍根を考察し、『坂の上の雲』で形成された日本人の歴史観を問い直す。

筑摩選書
0238

雇用か賃金か 日本の選択

首藤若菜

クビか、賃下げか。生産が縮小する時、労使は究極の選択を迫られる。今も日本はクビにしにくい国なのか？国際比較と国内調査から、雇用調整の内実に迫る。

筑摩選書
0241

基地はなぜ沖縄でなければいけないのか

川名晋史

沖縄に米軍基地が集中し、その状態が続くのはなぜか？この問題の解決策とは？ 基地問題の「解決」をめぐり論争が続く今、基地研究の成果を世に問う渾身の書！

筑摩選書
0242

日本の戦略力
同盟の流儀とは何か

進藤榮一

日本が没落したのは戦略の不在ゆえである。プラザ合意以降の日米同盟における戦略的思考の欠落を検証。混乱を極める世界で日本が生き残る戦略の構築を提唱する。

筑摩選書
0245

平和憲法をつくった男 鈴木義男

仁昌寺正一

日本国憲法第9条に平和の文言を加え、25条の生存権を追加することで憲法に生命を吹き込んだ法律家・政治家「ギダンさん」。その生涯をたどるはじめての本格評伝。

筑摩選書 0247

東京10大学の150年史

小林和幸 編著

筑波大、東大、慶應、青山学院、立教、学習院、明治、早稲田、中央、法政の十大学の歴史を振り返り、各大学の特徴とその歩みを日本近代史のなかに位置づける。

筑摩選書 0248

敗者としての東京
巨大都市の「隠れた地層」を読む

吉見俊哉

江戸＝東京は1590年の家康、1869年の薩長軍、1945年の米軍にそれぞれ占領された。「敗者」としての視点から、巨大都市・東京を捉え直した渾身作！

筑摩選書 0250

丸山眞男と加藤周一
知識人の自己形成

山辺春彦　鷲巣力／東京女子大学丸山眞男記念比較思想研究センター　東京女子大学丸山眞男記念比較思想研究センター 監修

戦後日本を代表する知識人はいかにして生まれたのか？出生から敗戦まで、豊富な資料とともに二人の自己形成過程を比較対照し、その思想の起源と本質に迫る。

筑摩選書 0251

戦後空間史
都市・建築・人間

戦後空間研究会 編

住宅、農地、震災、運動、行政、アジア…戦後の都市・近郊空間と社会を考える。執筆：青井哲人、市川紘司、内田祥士、中島直人、中谷礼仁、日埜直彦、松田法子

筑摩選書 0254

日本政教関係史
宗教と政治の一五〇年

小川原正道

統一教会問題でも注目を集めている政治と宗教の関係の変遷を、近現代の様々な事例をもとに検証。信教の自由と政教分離の間で揺れ動く政教問題の本質に迫る。

筑摩選書 0255

日本人無宗教説
その歴史から見えるもの

藤原聖子 編著

「日本人は無宗教だ」とする言説の明治以来の系譜をたどり、各時代の日本人のアイデンティティ意識の変遷を解明する。宗教意識を裏側から見る日本近現代宗教史。

筑摩選書 0256

隣国の発見

日韓併合期に日本人は何を見たか

鄭大均

日韓併合期に朝鮮半島に暮らした日本人は、その自然や文化に何を見たのか。安倍能成、浅川巧ら優れた観察者のエッセイを通じて、朝鮮統治期に新たな光を当てる。

筑摩選書 0257

実証研究 東京裁判

被告の責任はいかに問われたか

戸谷由麻
デイヴィッド・コーエン

東京裁判の事実認定がいかになされ、各被告人の責任がどう問われたのかを実証的に解明。東京裁判の国際刑事裁判史上の功績を問いなおし、その問題点を検証する。

筑摩選書 0260

南北朝正閏問題

歴史をめぐる明治末の政争

千葉 功

南北朝時代の南朝・北朝のどちらが正統かをめぐる明治末の大論争は深刻かつ複雑な政治的・社会的事件だった。現代の歴史問題の原点となった事件の真相を解明する。

筑摩選書 0262

関東大震災と民衆犯罪

立件された二四件の記録から

佐藤冬樹

関東大地震直後、自警団による朝鮮人らに対する襲撃事件が続発する。のちに立件された事件記録・資料をもとに、自警団の知られざる実態が百年を経て明らかになる。

筑摩選書 0263

北京の歴史

「中華世界」に選ばれた都城の歩み

新宮学

北京が中国の首都であり続けたのは、「都城」だったからだ。古代から現代まで、中華世界の中心としての波瀾万丈の歴史を辿り、伝統中国の文化の本質を追究する。

筑摩選書 0264

南北戦争を戦った日本人

幕末の環太平洋移民史

菅（七戸）美弥
北村新三

米国の公文書記録によると南北戦争に日本人二名が従軍したという。鎖国下の日本を離れアメリカに生きた彼らの人物像と消息を追う、一九世紀の日本人移民の群像。